LES ÉDITIONS DES INTOUCHABLES
512, boul. Saint-Joseph Est, app. 1
Montréal (Québec)
H2J 1J9
Téléphone : 514 526-0770
Télécopieur : 514 529-7780
www.lesintouchables.com

DISTRIBUTION : PROLOGUE
1650, boul. Lionel-Bertrand
Boisbriand (Québec)
J7H 1N7
Téléphone : 450 434-0306
Télécopieur : 450 434-2627

Impression : Marquis Imprimeur inc.
Conception graphique : Mathieu Giguère
Photographie de l'auteur : Maxime Comtois
Direction éditoriale : Marie-Eve Jeannotte
Révision : Élyse-Andrée Héroux, Christine Ouin
Correction : Natacha Auclair
Vérification des traductions italiennes : Antonio Spina

Les Éditions des Intouchables bénéficient du soutien financier du gouvernement du Québec — Programme de crédit d'impôt pour l'édition de livres — Gestion SODEC et sont inscrites au Programme de subvention globale du Conseil des Arts du Canada.

Nous reconnaissons l'aide financière du gouvernement du Canada par l'entremise du Fonds du livre du Canada (FLC) pour nos activités d'édition.

Membre de l'Association nationale des éditeurs de livres.

Conseil des Arts du Canada
Canada Council for the Arts

Dépôt légal : 2011
Bibliothèque et Archives nationales du Québec
Bibliothèque nationale du Canada

ISBN : 978-2-89549-430-0

Femmes de gangsters

Tome 1

Le complot de Santa Ana

De la même auteure

Maudite folle !,
Les Éditions des Intouchables, 2009

FEMMES
DE
GANGSTERS

TOME 1

LE COMPLOT DE SANTA ANA

VARDA ETIENNE

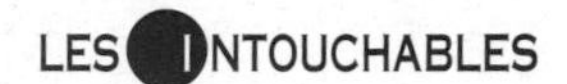

Je dédie ce livre à Greg,
mon frère de cœur.

PROLOGUE

À soixante-deux kilomètres de la capitale du Salvador, la ville de Santa Ana dresse fièrement sa cathédrale richement décorée, comme une insulte à la pauvreté de ce pays où le salaire annuel moyen dépasse à peine les cinq mille dollars. Le clocher, dans cinq minutes, va sonner 5 h de l'après-midi. Il fera bientôt nuit. Le soleil se couche tôt sous les tropiques. Des centaines d'hommes, tatoués des pieds à la tête et armés jusqu'aux dents, se préparent à sortir. C'est le début de la journée pour les *mareros* de la MS-13, l'un des gangs les plus dangereux du monde.

À Montréal, il est presque 18 h. Les embouteillages dans la rue Notre-Dame ont commencé depuis longtemps. Dans un luxueux bureau d'avocats de la rue Sherbrooke, trois hommes, tirés à quatre épingles, s'installent autour de la longue table ovale en érable.

Celui qui semble présider la réunion y dépose trois dossiers volumineux. Une étiquette sur chacun d'eux, d'une écriture fine et consciencieuse, indique leur nom : Lavallée, Syracusa et Joseph.

— Ça commence aujourd'hui, entame l'avocat Hernandez. Les ordres sont arrivés ce matin.

— C'est une erreur. Le clan Syracusa est beaucoup plus puissant que prévu, intervient immédiatement un homme dans la cinquantaine avancée, vêtu d'un costume Gianfranco Ferré. Il nous faut encore quinze jours.

— Nous n'avons pas reçu deux millions de dollars chacun pour attendre, rétorque Hernandez.

— Nous avons reçu deux millions pour réussir.

La tension est palpable entre les deux hommes.

— En ce qui concerne Joseph, tout est prêt, dit simplement le troisième homme. Et Cash ?

Le président ouvre le dossier avec un air ennuyé.

— Il y a eu un problème avec Cash Lavallée. Il semble qu'il ait réussi à obtenir des informations.

— Je vous l'ai dit, reprend l'homme en Gianfranco Ferré, il est trop tôt. Il faut demander un délai supplémentaire avant de commencer l'opération.

— Elle a déjà commencé, conclut Hernandez.

CHAPITRE 1

La douleur est intense. Insupportable.

Au début, la souffrance était localisée : ils ont agi méthodiquement, commençant par les testicules pour entailler ensuite tout le corps, puis l'asperger d'un mélange d'eau et de sel. Ensuite, leurs coups se sont multipliés.

Ils ont terminé par le visage et le crâne.

Le corps de Réginald tout entier ressemble maintenant à un continent dévasté, sans qu'une seule parcelle ait été épargnée. Il a perdu beaucoup de sang, des dents, sans doute un œil. Peut-être même sa virilité. Et maintenant, il se réveille à peine, après avoir perdu connaissance une cinquième fois.

— *Come on*, les *boys*, arrêtez, j'vous en supplie, arrêtez !

Seules deux bougies posées sur le plancher éclairent la pièce située au sous-sol. Une odeur d'urine se mélange à celle de tabac froid. On ne s'imagine jamais qu'on va mourir dans un endroit sordide, même quand on a fréquenté les bas-fonds toute sa vie.

Les Haïtiens espèrent qu'ils expireront au soleil, les Québécois, en Floride, et les Siciliens, pendant la sieste, même s'ils ont passé une bonne partie de leur existence à tuer leur prochain à Montréal-Nord.

Réginald, lui, sait que ses dernières heures vont se dérouler dans cet endroit répugnant, et qu'il finira sans doute aux mains d'un des cinq colosses noirs qui l'entourent. Son erreur ? Avoir trop parlé, un soir de beuverie, avec un gang de latinos.

— J'te jure, Junior, je regrette, j'étais saoul…, implore Réginald.

Il parle comme un aveugle, en tournant ses yeux bandés vers un interlocuteur invisible. Mais Junior Joseph se trouve maintenant derrière lui. Réginald sent l'odeur du cognac, la boisson préférée de son bourreau. Il ne le voit pas, mais il le connaît par cœur. Grand, musclé, un physique de rappeur américain entretenu avec coquetterie et orné d'innombrables bijoux.

—Yo, ferme ta gueule, t'es un homme ! Tu pleures comme une *bitch*, t'as pas honte ?

— J't'en supplie, Junior, je leur parlerai plus !

— *Fuck you, nigger*, tranche Junior.

Junior Joseph, qui n'a jamais eu de compassion pour qui que ce soit, adresse un simple geste à un de ses comparses.

Ti-Will, le plus barbare du groupe, une sorte de monstre de graisse couvert de chaînes, s'empare du sécateur dissimulé dans sa poche. Il s'approche pesamment de Réginald.

L'urine de la peur coule sur la jambe de la victime.

— Une seconde, les *boys*, intervient Junior en ouvrant son cellulaire. C'est ma femme...

Lorsque Marjorie appelle, il répond toujours, peu importent les circonstances. Sauf lorsqu'il est avec une danseuse. Bien sûr.

Il s'éloigne dans la pièce voisine. Frantz, une sorte d'obèse aux joues faites pour le McDo, en profite pour sortir. Il ne peut supporter l'idée d'assister à ce qui va bientôt se produire.

— *Hey baby*..., commence Junior de sa voix mielleuse comme s'il chantait une ballade R'n'B. *What's up?*

Les hurlements de sa femme, qui crie de toute sa généreuse poitrine dans les oreilles du gangster, parviennent jusqu'à Ti-Will, qui joue tranquillement avec son sécateur comme un jardinier désœuvré.

— *Baby, come on*, mon amour, tente Junior en prenant le ton de Barry White dans *Your the first, the last, my everything*. Sois cool...

L'ambiance paraît très loin d'être cool. D'ailleurs, personne ne croit plus depuis longtemps, sauf Junior, que Marjorie et lui forment un couple cool. Tout Montréal-Nord connaît le caractère explosif de l'épouse du chef, comme les Afghans la force de frappe des États-Unis. En dix-huit ans de vie commune, elle lui a donné une centaine de coups de poing, deux fillettes, Bijou et Gucci, des plaisirs sexuels tropicaux, et tout ça a fait beaucoup de bruit. Mais Marjorie a surtout mis toute son intelligence au service d'une ambition commune : faire du gang de son mari la plus puissante organisation criminelle haïtienne de Montréal.

Les hurlements continuent de plus en plus fort. Réginald se prend à espérer qu'une scène de ménage lui vaudra un sursis.

— Mais doudou…

Junior s'éloigne encore afin que personne n'entende ce que tout le monde a déjà compris. Les colosses n'ignorent pas qu'une simple allusion, un seul sourire de l'un d'eux déclencherait la colère de cet homme terrorisé par sa femme. Mais s'ils savaient que la fureur de Marjorie a été causée par le retard de son mari au souper familial du dimanche, son autorité serait détruite pour trois générations.

Junior referme son téléphone et revient dans la pièce.

— OK, les *boys*, *an-nalé*[1], j'ai une autre *business* à régler ce soir.

L'homme au sécateur enfonce une chaussette dans la bouche de Réginald pendant que Junior débouche de nouveau la bouteille de Hennessy.

La victime sent les effluves du cognac près de lui. Le colosse s'empare d'une des mains du martyr, pendant que Junior enfile sa veste.

Deux doigts de la main droite de Réginald tombent sur le sol dans un jaillissement de sang.

— Ça t'apprendra, espèce de *kalanbè*[2], conclut Junior. C'est ça qui arrive à des ti vicieux comme toi qui parlent avec les autres ! La prochaine fois, j'te tranche la queue pis j'l'envoie à ton *boss* !

Réginald a perdu connaissance.

Il est 17 h 50, mais il fait déjà nuit. Une pluie fine tombe sur les feuilles mortes du boulevard Pie-IX quand Junior et sa bande sortent de l'immeuble voisin du Village des Valeurs.

Le sang de Réginald le quitte par sa main droite, comme par un boyau d'arrosage. Pour lui, c'est sans doute le dernier jour. Pour Junior, au contraire, c'est un jour ordinaire. En tournant vers la rue Ontario, il ne prête pas attention à une voiture banale qui le suit,

1 « Allons-y », en créole.

2 « Merde »

tous phares éteints, occupée par trois hommes et une femme d'origine hispanique.

Lui aussi, sa vie va basculer.

CHAPITRE 2

18 h, Westmount. La musique de 50 Cent ébranle l'avenue Grosvenor à cette heure tranquille, dérangeant les familles riches et les enfants qui ont fini leurs devoirs. Un quartier calme comme la Suisse, enfoncé dans des traditions britanniques d'hypocrisie, de racisme et de thé au lait. Un quartier où l'événement le plus traumatisant est l'échec d'un cake. D'un cake manqué aux infrabasses de 50 Cent, le chaînon manquant s'appelle Marjorie Cadet.

Une sorte d'intruse dans le quartier, snobée par tout le monde, qui ne doit sa présence qu'à son argent. Comme tous les autres, bien sûr. Mais depuis beaucoup moins de temps.

Quand la voiture des parents de Marjorie s'engage dans la rue Victoria, ils ont toujours l'impression de visiter un pays étranger dont ils ne connaissent ni la langue, ni les codes, ni les modes. Chaque fois qu'ils garent leur Camry verte devant l'entrée principale de la maison, sorte de villa inspirée par *Autant en emporte le vent*, ils se sentent pris du stress qui précède le moment où l'on ne sera pas à la hauteur.

— C'est papy et mamy ! s'exclame la fillette du couple Joseph qui guettait leur arrivée, comme elle le fait tous les dimanches.

La petite Gucci, jolie comme un cœur avec son ruban rose dans ses cheveux relevés en chignon, s'est précipitée vers la porte d'entrée, immédiatement suivie par la maîtresse de maison, et Bijou, qui court toujours derrière sa mère.

Vêtue d'une minijupe en satin fuchsia, exhibant sa poitrine splendide dans un décolleté plongeant, Marjorie ouvre la porte. Elle est belle comme les Haïtiennes dans la trentaine, qui semblent avoir vingt-cinq ans pendant quinze ans. Pas un gramme de graisse chez cette femme dont la nervosité consomme aussitôt tout excès de poids. Ses maternités n'ont laissé aucune trace sur sa peau souple et n'ont eu aucun effet sur sa libido, toujours assoiffée. Marjorie, en réalité, est une affamée de la vie qui l'empoigne comme elle le ferait d'une paire de fesses musclées de basketteur. Aucune fausse pudeur non plus. Utilisant sa beauté pour cultiver son esprit, elle a dansé nue pour payer ses études en administration des affaires.

Elle est déjà furieuse : en gestionnaire de sa famille, elle ne supporte aucun retard à ses activités.

— Ben là, il était temps que vous arriviez ! Je vous ai invités pour 6 h... Il est 6 h 10 ! Maudits Haïtiens, pas capables d'être à l'heure !

Les parents font mine de ne pas entendre. Un simple mot, comme auprès de son mari Junior, peut déclencher une réaction hystérique de Marjorie. Marie-Rose, en vraie grand-mère, s'approche de ses petites-filles avec un large sourire et leur ouvre les bras.

— Bonsoir, mes amours. *Ki gan nou yé*[3] ?

— Mamy, intervient immédiatement Marjorie, combien de fois dois-je te dire de ne pas leur parler en créole ? Elles ne comprennent pas ! On vit à Westmount et non à Port-au-Prince ! Et enlève tes chaussures quand tu franchis le seuil de ma porte ! Mon tapis d'alpaga est blanc et m'a coûté une fortune, *hello* !

— Excuse-moi, ma chérie. Je suis tellement contente de voir les enfants..., répond Marie-Rose avec un fort accent haïtien.

3 « Comment allez-vous ? »

Celle-ci, impressionnée par la réussite de sa fille, semble toujours lui demander pardon de ses origines modestes.

— Allez, dépêchez-vous de rentrer, tout le monde, j'ai froid ! coupe Marjorie.

Mimose, la sœur de Marjorie, qui n'a jamais supporté l'arrogance de sa cadette, ne peut s'empêcher de lui glisser :

— Si seulement tu t'habillais comme du monde, peut-être que...

— *Excuse me ?*

Marie-Rose agrippe rapidement ses petites-filles et les éloigne de la scène.

C'est une sorte de loi pour Marjorie : quand elle commence une phrase par « *Excuse me ?* », tout le monde se met aux abris. C'est le cyclone Marjorie en direct d'Haïti.

— Je te rappelle que j'ai eu deux enfants par voie naturelle, et ce, sans péridurale, cinq avortements; pis mon corps est resté aussi ferme que tes genoux. J'ai le droit de montrer ce que Dieu a si bien fait !

— Mesdames, s'il vous plaît, ne commencez pas à vous disputer, intervient le père pour la première fois. C'est comme ça tous les dimanches... *Nou pa ka sispan fè conte*[4] *?* C'est la journée du Seigneur, un peu de respect...

4 « Pouvez-vous arrêter ? »

Puis, s'approchant de Marjorie pour faire diversion :

— Alors, où est Junior, Majoujou ?

— Papy, ne me parle pas de lui, s'il te plaît ! Peux-tu croire qu'on est dimanche soir et que mon crétin de mari n'est pas là, encore une fois ? J'en ai plein le cul !

— *Mézanmi*[5] cocotte, ne t'en fais pas, il doit travailler. Il nous rejoindra plus tard.

— Travailler ? reprend Marjorie en feignant de s'étrangler. Tu sauras que Junior ne connaît pas la définition de ce mot ! Il doit être parti baiser ses *bouzins*[6] comme d'habitude ! Ou il est au casino pour extorquer des bandits comme lui. Ou en train de battre quelqu'un, quelque part !

— Marjorie, je t'en prie... Un peu de retenue. C'est quoi, ce langage ? Quand je pense que tu chantais dans la chorale du pasteur Toussaint... Ça me désole, Majoujou... Ça me rend triste...

— Désolée, papy... T'as raison. On va passer à table.

— C'est pourtant bizarre, remarque doucement le père de Marjorie. D'habitude, il appelle quand il est en retard.

5 « Oh mon Dieu ! »

6 « Putes »

CHAPITRE 3

18 h 17. Charlotte Pinsolle, mannequin parisien, n'aime pas attendre. Quand on a l'habitude d'obtenir immédiatement ce qu'on veut, on ne supporte plus les aiguilles d'une montre. En rééquilibrant son taux de nicotine après sept heures d'avion, elle attire l'attention des voyageurs qui sortent de l'aéroport Trudeau. Grande, mince, on dirait une fille photoshopée et en trois dimensions, sortie d'un de ces magazines qu'on distribue en classe affaires. Cigarette au bec et vêtue d'un magnifique manteau en cachemire, elle fait les cent pas devant le lieu de rendez-vous, sous la bannière d'Air France.

— Putain, mais qu'est-ce qu'elle fait, cette meuf?

À peine a-t-elle fini sa phrase que Charlotte voit arriver le taxi limousine. Assise à l'intérieur, Frédérique abaisse sa vitre, en affichant un large sourire.

— Finalement ! Tu te fous de ma gueule ou quoi, ça fait dix minutes que j'attends comme une conne, c'est n'importe quoi ! s'exclame Charlotte en Parisienne stressée.

Frédérique ouvre la portière. Élancée, blonde et sans maquillage, sa beauté couperait le souffle du vent. Ses yeux verts dans son visage ovale lui donnent un air innocent, presque enfantin, et cette naïveté contraste avec un corps souple, une blondeur resplendissante et naturelle.

— Désolée, Charlie, il y a beaucoup de circulation entre Montréal et l'aéroport. Je suis réellement navrée pour mon retard de… dix minutes, dit Frédérique, la langue alourdie par l'alcool.

À la voir, on ne sait pas si elle est faite pour les plaisirs de la chair ou pour ceux de la prière, tant elle dégage à la fois pureté et sensualité. Elle-même d'ailleurs n'en sait rien, et a peut-être choisi de se valoriser exclusivement grâce à son physique en espérant y trouver des joies plus profondes, qu'elle n'a jamais atteintes.

— T'as déjà fêté mon arrivée avant mon arrivée, si je comprends bien ?

Charlotte lui a déjà pardonné. On pardonne toujours à celle qu'on va baiser.

Pendant que le chauffeur place ses valises dans le coffre arrière, Charlotte prend place aux côtés de son amie. Les deux femmes s'embrassent langoureusement sous l'œil étonné du conducteur. Charlotte s'allume une autre Gauloise.

— Madame, vous n'avez pas le droit de fumer, remarque l'homme avec un fort accent espagnol.

— « *Vous n'avez pas lé droit de foumer...* » C'est à moi que vous parlez, *El Commandante* ? demande Charlotte d'un ton arrogant.

Frédérique ne dit pas un mot. Elle connaît le tempérament rebelle de son amie, avec qui elle a fait les quatre cents coups à Paris. Avant de rencontrer son ex-conjoint, François « Cash » Lavallée, Frédérique avait parcouru durant de nombreuses années les podiums des défilés de mode, depuis lesquels elle avait plongé dans l'abus de stupéfiants. S'enfonçant dans une dépendance d'autant plus forte qu'elle y a ajouté une touche personnelle : à sa bipolarité naturelle, elle offre maintenant un cocktail de cocaïne et d'antidépresseurs soigneusement choisis, ruinant d'un seul mouvement sa santé, ses économies de star et son capital génétique. Et perdant irrémédiablement la confiance de ses parents en sa réhabilitation. Charlotte, fascinée par la folie de Frédérique, est plus portée sur la bouteille que sur les flacons, mais partage avec elle le goût de la fête.

— Oui, c'est à vous que je parle et je peux faire autre chose que parler... Si vous ne pouvez pas vous empêcher de fumer, vous devez sortir.

— J't'emmerde ! répond simplement Charlotte.

L'homme au crâne rasé dont la nuque porte un tatouage discret, arrête aussitôt la voiture sur le boulevard Roméo-Vachon, à la sortie de l'aéroport. Son regard fixe sévèrement les yeux de Charlotte dans le rétroviseur. Il ne ressemble soudain plus à un chauffeur, mais à un homme violent, dangereux. Frédérique se demande pourquoi il porte des gants dans cette voiture surchauffée.

— Jetez votre cigarette *immediatamente*.

— S'il te plaît, Charlie, intervient Frédérique, un peu paniquée. Ne commence pas. C'est comme ça ici, un point c'est tout.

Et, se penchant vers le conducteur :

— Je suis sincèrement navrée, monsieur. Elle est fatiguée… Le décalage horaire, vous comprenez.

Le chauffeur, ignorant les excuses de Frédérique, finit par demander la direction à suivre.

— Restaurant Lorena, dans le Vieux-Montréal, monsieur, vous connaissez ?

— Oui, madame.

— C'est quoi, ce resto ? demande Charlotte. Je n'ai pas faim, je veux juste boire.

— Justement, ils ont un très bon champagne… En plus je connais bien la propriétaire. C'est comme ma deuxième maman, elle va bien nous soigner. Ça a été, ton voyage, ma chérie ?

— Ouais, pas mal, répond Charlotte, indifférente. C'est déjà l'automne ici ?

— C'est la saison des couleurs, mon bébé. Les Laurentides sont magnifiques.

— Et les amants sont généreux, à ce que je vois, rétorque Charlotte du tac au tac en admirant la Rolex de Frédérique. Un cadeau de François ?

Frédérique regarde Charlotte droit dans les yeux.

— Ce n'est plus mon mec, tu le sais très bien. Nous sommes séparés !

— Séparés mais amoureux, on dirait, continue Charlotte gaiement. Quand un homme offre une montre, ça veut dire qu'il attend son heure, tu sais ça ? Qu'est-ce que tu lui fais, à ce garçon, pour qu'il soit encore accro à ce point, mon amour ?

— Je lui ai fait un enfant, tu le sais aussi.

— Ça recommence ! Tu ne vas pas me dire que tu as fait ta petite Maxim uniquement pour François...

— Mais j'en voulais pas, d'enfant, moi, tu l'sais bien ! Je suis moi-même une femme enfant..., dit Frédérique en regardant par la fenêtre comme si elle parlait d'une chose sans importance.

— Arrête de déconner, Fred ! T'es plus une gamine, putain, t'as trente-six ans quand même ! Si les gens attendaient d'être adultes pour faire des enfants, il y aurait moins de circulation entre Dorval et Montréal, crois-moi.

— Mais je te dis que je me fous de cette enfant ! Je suis déprimée depuis des mois, j'ai des vergetures sur le ventre depuis l'accouchement, je...

—T'es complètement folle, Fred, lance Charlotte en riant, tout en glissant sa main sur le ventre de son amie. T'en as plus, de vergetures, tu t'es fait redraper le ventre au Brésil l'an dernier ! Tu bouffes trop de pilules, ma vieille, t'as plus de mémoire ! Moi, je l'aime beaucoup, ce ventre... Tiens, quand on parle du loup, on voit sa queue...

Le cellulaire de Frédérique vient en effet d'afficher le numéro de François.

— C'est pas sa queue, c'est son téléphone. Il m'a appelée cent fois aujourd'hui ! C'est invivable.

— Réponds-lui, ça va le calmer, propose Charlotte.

— Écoute. Il m'appelle pour me dire qu'il m'aime encore, qu'il regrette, qu'il a changé... Son dernier message, c'était qu'il avait quelque chose de soi-disant très important à me dire...

— Mais réponds-lui alors ! Il se passe peut-être quelque chose d'urgent...

— J'ai entendu ce genre de discours mille fois. Ne pas répondre est toujours la meilleure réponse dans ce genre de situation.

— Et avec Larry, comment ça va ? demande Charlotte pour changer de sujet.

Frédérique passe la main dans sa chevelure en secouant légèrement la tête.

—Aucune nouvelle depuis deux jours. *Nothing* de chez *nothing*, répond-elle avec son accent parisien. Lui non plus ne répond pas...

— Tu devrais arrêter, Frédérique. C'est trop dangereux, ton histoire.

— C'est l'homme de ma vie !

— C'est l'homme de la vie de sa femme et de ses trois enfants. Et c'est aussi l'avocat de François. Et ça, ça pue, crois-moi… En plus, il est juif, donc il ne quittera jamais sa famille.

Frédérique éclate en sanglots. Elle fait partie des gens qui, perpétuellement blessés par la réalité, ont décidé de la fuir à n'importe quel prix. Les larmes qu'elle impose à son entourage à la moindre contradiction constituent l'une de ses tactiques favorites. Mais au fond, comme tous ceux qui ne vivent que dans leurs rêves, elle sait qu'un jour, la réalité ressurgira tel un cauchemar.

— Fred, je te dis ça pour te protéger. C'est une histoire impossible, tu le sais bien. Le jour où François apprendra votre histoire, il va vous tuer tous les deux, c'est sûr !

— François ne me ferait jamais aucun mal, je suis la mère de son enfant.

— Il la tuera aussi, s'il le faut. Ce type est un monstre.

— Je m'en fous, je veux garder Larry. C'est le seul qui me comprenne.

— Il y a aussi une femme qui te comprend, poursuit Charlotte en lui prenant doucement la main. Ce soir, ma biche, tu es à moi. Je vais te faire l'amour mieux que lui !

Le chauffeur augmente le volume de la radio branchée sur un poste hispanique.

— Je t'aime, Charlie... C'est vrai, personne ne me caresse comme toi tu sais le faire.

Charlotte pose sa main entre les cuisses de Frédérique.

— Pas tout de suite, Charlie... Attends un peu.

CHAPITRE 4

François « Cash » Lavallée n'en peut plus. Frédérique refuse de prendre ses appels. Frédérique refuse de reprendre la vie commune à Saint-Sauveur. Frédérique le refuse, point.

Il compose de nouveau son numéro.

Si elle savait ce qu'il a à lui dire, elle décrocherait tout de suite...

— Sacrament, pourquoi qu'elle répond pas, tabarnak ? Pis lui, le cave, y est où ?

François se dirige vers la fenêtre de la chambre du motel Au doux repos. Quelques voitures sont stationnées dans le parking. Mais pas de Baloune à l'horizon. Ce motel est aussi désert que sordide. De la moquette monte une odeur de vieux sperme et de cannabis. Ou c'est son imagination. Une femme fait semblant de jouir à droite. Un homme parle trop fort à gauche. Exaspéré, François s'empare de son autre cellulaire. Un interlocuteur à la voix suraiguë lui répond :

— Ouin, Cash, capote pas, j'm'en viens tu suite..., dit Pierre.

— Câlisse, Baloune, kossé que tu fais, crisse ! s'exclame François. Estie que t'es pas fiable, ça fait un boute que j't'attends, j'passerai pas la nuit icitte, moé, ciboire !

— Inquiète-toé pas, j'm'en viens, j'chu sur le coin, là ! répond nerveusement Pierre.

Pierre « Baloune » Tremblay est l'un des hommes de main de François, celui qu'il charge particulièrement de récupérer les grosses sommes d'argent qui lui sont dues et qu'il partage ensuite avec les membres des Soul Ryderz. Traditionnellement aux ordres de la mafia pour exécuter ses basses besognes, les Soul Ryderz, qui n'acceptent que les Blancs parmi leurs membres, occupent le territoire canadien depuis les années 1950. Ils parlent joual pour affirmer cette identité blanche et francophone. C'est pourquoi la relation presque proche entre Junior et Cash a toujours été dissimulée aux hommes.

— Écoute-moé ben, mon estie, t'as deux minutes pour arriver icitte, pas plus ! conclut sèchement François.

— Correct..., répond Pierre, craintif.

François reprend son autre cellulaire et compose encore une fois le numéro où on ne répond jamais. Celui de Frédérique.

— Tabarnak d'estie de câlisse de ciboire ! Pourquoi qu'elle répond pas !

Violent comme un enfant mal aimé, instruit par cette école de la vie dont on parle toujours mais qui n'enseigne que sa cruauté, Cash Lavallée n'a appris la douceur de l'existence qu'avec son sexe. Sa sensibilité, limitée à ses zones érogènes, ne s'est aventurée qu'une fois au-delà de celles-ci, se déversant entièrement sur Frédérique.

En ce genre d'hommes, il n'y a de place que pour un seul amour, et c'est toujours celui qui fait le plus mal.

La voiture de Pierre « Baloune » Tremblay arrive à vive allure dans le stationnement du motel. Avant qu'il n'ait le temps de frapper, François ouvre la porte et tire rapidement Pierre à l'intérieur de la chambre.

— Sacrament, y était temps que t'arrives, toé. Penses-tu que j'ai juste ça à faire de mon temps, moé ! crie François.

Nerveux, Baloune dépose le sac sur le lit. François, l'ouvrant rapidement, constate :

— Y a pas grand-chose, tabarnak !

— On n'a plus de *dope*, Cash. Ça fait trois fois que je t'le dis. Y nous livrent pus ! Y a-tu un problème en Colombie ?

François, muni de son sac de hockey, sort aussitôt de la chambre et se dirige directement vers son luxueux VUS.

— C’est ben plus grave que tu crois.

Il part en empruntant la petite route sombre.

CHAPITRE 5

Sur l'autoroute Ville-Marie, la Mercedes d'Antonia Syracusa, épouse dévouée du parrain de la mafia montréalaise, se dirige vers son restaurant, le Lorena, très populaire depuis son ouverture, trente ans plus tôt. Antonia, surnommée Tony par ses intimes, y consacre la majorité de son temps et traite ses clients comme des membres de la royauté. En apercevant la voiture de sa patronne, Roberto, le valet, accourt vers elle. Antonia lui fait signe d'attendre qu'elle ait fini sa conversation au téléphone. Son mari, Angelo, est au bout du fil.

— *Dolcissima*, es-tu au resto ? demande Angelo.

— Je viens tout juste d'arriver à l'instant, *amore*. Tu vas bien ?

— Très bien. Je t'appelle simplement pour te dire à quel point je t'aime.

— Et moi, je t'adore... Pourquoi tu me dis ça maintenant ?

— Comme ça... Un pressentiment peut-être... Il fallait que je te le dise.

— Tu te sens bien, *mi amore* ? Il n'y a pas de problème avec ton diabète ? s'inquiète Antonia.

Antonia et Angelo Syracusa forment un de ces couples heureux depuis près de quarante ans, comme seuls savent encore le faire les Italiens. Parents de trois fils, fervents catholiques comme bien des criminels, ils doivent la durée de leur union à leur croyance en l'indissolubilité du mariage, l'amour commun des *pennes alla romana* et la séparation des pouvoirs : à l'intérieur, Antonia règne en maître et ne pose jamais de questions sur ce qui se passe hors des murs. Don Syracusa, parrain de la mafia montréalaise, quant à lui, ne lui a jamais demandé sa recette de pâtes. Ils partagent ensemble cet amour proche de l'amitié qui finit par unir les couples de longue durée. Le respect mutuel et le sens du devoir empêchent néanmoins Angelo et Antonia Syracusa de sombrer dans l'ennui que le temps réserve souvent à ceux qui s'aiment depuis trop longtemps. Antonia connaît la mafia depuis toujours, puisque son père travaillait également pour la Cosa Nostra, et elle a appris de sa mère. Elle sait décrypter dans les moindres mouvements de son mari les explications de ses silences. Il suffit d'un geste de sa part, ou même de l'absence d'un geste, pour qu'elle devine ce qu'il ressent : une inquiétude, une envie de se retirer dans le silence. Comme un homme, il ne sait pas qu'elle sait. Il croit qu'il la protège en ne lui parlant de rien. Comme une femme, elle sait qu'il ne sait pas et lui laisse croire à cette protection, ce qui constitue la plus grande protection qu'une femme peut procurer à un homme.

— Oui, ça va, ne t'inquiète pas, répond Angelo à sa femme, comme il le lui répète depuis quarante ans. Tout va bien.

À l'autre bout de la ville, au club social Palermo, Angelo Syracusa, rassuré par l'amour de sa femme, raccroche le téléphone et contemple ses amis. Une trentaine de membres de la communauté italienne regroupés devant un écran plasma géant sur lequel on diffuse le match de soccer entre l'Italie et la République tchèque. L'ambiance est à la fête, à la grappa et à l'espresso. Les vieux, dans le fond de la salle, jouent silencieusement au *scala quaranta*. Angelo éprouve pour eux une profonde affection. Les vieux, ce sont les vrais.

La sonnette retentit. C'est Gianni Canta, le *consigliere*[7] de la famille Syracusa

— *Buona sera, consigliere*, dit Angelo.

— *Buona sera, don Syracusa.*

—Tu es en retard. Le match est déjà commencé...

— Qui mène ?

7 « Conseiller »

— Nous. Un à zéro.

Il y a quarante ans, ces deux hommes débarquaient dans le port de Montréal avec une orange et un couteau en poche. Comme dans un film. De Palerme, ils apportaient aussi des rêves, à commencer par celui de manger à leur faim tous les jours. Dix ans plus tard, ils se retrouvaient à l'Université McGill, Angelo en finances et Gianni en droit. Et quinze ans après leur arrivée, Gianni était devenu l'avocat criminel le plus redouté par la Couronne.

— Gianni, est-ce que tu as des nouvelles ? demande Angelo en prenant son avocat par l'épaule pour l'emmener dans une arrière-salle.

— Oui... Elles ne sont pas bonnes.

La pluie d'automne continue de tomber. Luigi court à l'intérieur du restaurant afin de prendre un parapluie pour sa patronne, car madame Antonia refuse de descendre de son véhicule sans protéger son chignon à la Maria Callas. Petite et grassette, les cheveux blond platine et les lèvres pulpeuses gonflées au collagène, elle n'est belle que parce qu'elle croit l'être. Mais son éternel souci de bien faire lui vaut l'admiration de ceux qui l'entourent. Son tailleur Armani ne cache pas son goût de la cuisine sicilienne, comme son sac et ses chaussures toujours assortis manifestent celui de l'argent. Elle prend une grande respiration pour préparer son entrée théâtrale, comme elle le fait tous les jours. Luigi ouvre la portière.

— *Buona sera*, *signora Syracusa*. Vous allez bien ?

— *Si*... Allez, va stationner la voiture et fais attention.

Le rituel d'Antonia commence toujours par des ordres lancés à droite et à gauche. La femme du plus puissant mafioso du Canada pourrait se passer de cette procédure.

— Les fenêtres sont sales, Flavio, déclare-t-elle, à peine entrée dans son restaurant. Appelle Pasquale pour qu'il vienne les nettoyer. Immédiatement !

— À vos ordres, *signora*.

Le maître d'hôtel s'approche en tenant en main le cahier des réservations.

Nous avons une excellente soirée. Nous sommes complets, voici la liste...

Antonia regarde le cahier en feuilletant les pages pendant qu'il les commente.

— Le député Étienne a réservé pour quatre personnes, madame la juge Lepage à 20 h pour six, le docteur Goldbaum aussi à 20 h pour quatre, et l'actrice française Joséphine Mansion à 21 h pour cinq.

— *Eccellente !* Je vais vérifier la cuisine.

Cela fait aussi partie du rituel. Les employés, affairés à la mise en place, s'arrêtent net pour saluer la patronne.

Ils ne saluent en réalité, comme tous les autres, que le mari derrière l'épouse. Mais ils éprouvent du respect pour cette femme sur laquelle ils savent tous qu'ils peuvent compter...

— *Buona sera tutti*. Allez, au travail ! dit-elle d'un air pressé. Paolo, demande-t-elle à un jeune Napolitain, la commande de *parmeggianno* est arrivée ?

— *Si, signora*, ce matin…

— Les saucisses, le poisson, le basilic ?

— Tout est là, *signora*…

— Le citron, les tomates, l'origan ?

— Oui, oui, *signora*.

— *Va bene*. Madame Sylvestre vient manger ce soir. N'oublie pas qu'elle est allergique à nos *pastas*. Elle a fait livrer les siennes ce matin. Les voilà.

Antonia ouvre un tiroir et remet le paquet de pâtes à Paolo.

— *Grazie mille signora*…, dit Paolo.

Comme tous les lundis.

CHAPITRE 6

— Wow, Marjo ! Quelle lampe magnifique ! s'exclame Marie-Rose au moment de passer à table, surprise devant tant de luxe. Tu viens de l'acheter ?

— Oui, madame ! C'est pas une lampe, mamy, c'est un lustre de vingt-cinq mille dollars que j'ai fait venir de New York vendredi. C'est de Philippe Starck, un designer super *hot* ! Beyonce a le même chez elle, je l'ai vu dans le *National Enquirer*...

Tout, dans la résidence de Marjorie, ressemble aux images d'un catalogue de produits de luxe, sauf sa principale occupante, qu'on verrait plutôt poser pour une marque de lingerie érotique. Les meubles, les tapis, les couverts, les fauteuils et les divans composent une symphonie bruyante, un peu cacophonique, qui pourrait s'intituler *L'Hymne au dollar*. Marjorie, s'il n'en tenait qu'à elle, laisserait les étiquettes pour bien montrer que ne pénètre ici que ce qui coûte cher, en ce qui concerne les meubles, ou ce qui peut rapporter de l'argent, en ce qui concerne les personnes. Mais, beaucoup plus que l'argent, c'est le statut social qu'elle recherche, dont il n'est qu'un signe. Peut-être même qu'au-delà du statut, elle ne désire au fond qu'une seule chose, à portée de main pour bien d'autres femmes parfumées chez Lise Watier : être acceptée en tant que femme noire dans une société blanche. Haïtienne, mais pas pauvre. Noire, mais dirigeante. Il lui semble depuis toujours que, pour être traitée en égale, elle doit valoir plus. Être mieux habillée, posséder une plus grosse voiture, gagner plus d'argent afin d'entrer dans une société qui fera alors semblant de la traiter sans ces petits préjugés secrets que bien des Blancs, pas vraiment racistes, entretiennent quand même à l'égard des gens de couleur. Une amazone d'ébène devant un monde blanc dont elle a affronté la lourdeur du regard.

L'entrée dans la salle à manger de ce palais du clinquant prend toujours des allures solennelles, d'autant que Marjorie exige des exclamations de ses invités sur ses nouvelles acquisitions.

— Philippe Starck... C'est un Haïtien ? demande Marie-Rose, candide.

— Mais non, mamy ! Tu connais des Haïtiens qui s'appellent Starck, toi ? C'est un Français.

— Majoujou, tu aurais dû me dire que tu voulais t'acheter une nouvelle lampe. Je t'aurais amenée sur la Plaza Saint-Hubert, il y a des soldes en ce moment…

— Plaza Saint-Hubert ? Mamy, *hello !* La Plaza Saint-Hubert ! Pourquoi pas le Village des Valeurs, tant que tu y es ?

— C'est là que je vous habillais quand vous étiez enfants, Marjorie, dit doucement sa mère. Je ne vois pas ce que ça a de honteux. D'ailleurs, mes souliers…

— Bon, allez, tout le monde, on mange, l'interrompt Marjorie qui n'a jamais accepté qu'on lui rappelle d'où elle vient.

La famille prend place autour de l'immense table tandis qu'elle va vers la cuisine y chercher les plats de lambis et de riz aux lentilles rouges. Frantz, son beau-frère, arrivé peu après les parents de Marjorie, s'assied de tout son poids sur la chaise qui paraît soudain bien fragile. Mais Marjorie lui fait signe de la suivre.

— As-tu des nouvelles de Junior ? lui chuchote-t-elle en soulevant le couvercle de la casserole de riz.

— C'est quoi qu'on mange, ce soir ?

— Arrête la *bullshit*. Il est où, mon mari ?

—Yo, Marjo, je n'en ai aucune idée…, répond Frantz, visiblement mal à l'aise.

— *Excuse me !* Est-ce que j'ai l'air d'une conne ou quoi ? Il est où, le trou d'cul, chez une *bouzin*, c'est ça ?

— Marjo, j'te jure que je ne sais pas… Il avait de la *business* à régler, reprend faiblement Frantz, sachant que Marjorie, voulant toujours tout savoir, arrivera à ses fins.

— Quelle *business* ?

— Avec Réginald…

— *Really*… C'est quoi, les dernières nouvelles avec ce *kalanbè*[8] ?

— Il a trop parlé avec les latinos. Junior dit qu'il voit de plus en plus de latinos, ici. Il aime pas ça.

— Junior, qu'est-ce qu'il a fait ? Il l'a descendu ?

— *Mwen pa connin*[9]… Je suis parti quand ils l'ont frappé. Je pouvais pas voir ça…

— J'espère qu'il est mort, répond froidement Marjorie. Les latinos, j'ai jamais aimé ça.

— Mes enfants ! Est-il possible de ne pas parler de vos affaires quand on est en famille ? demande timidement la mère de Marjorie, en entrant dans la cuisine. On se voit si peu souvent…

— Pardon, Mamy, désolée, répond aussitôt Marjorie, surprise de la présence de sa mère. On arrive tout de suite !

Aussitôt son diplôme en poche, Marjorie a ouvert un salon de coiffure parfaitement tenu et à la gestion impeccable. Le luxe époustouflant de Diva

8 « Tas de merde »

9 « Je ne sais pas. »

Internationale, situé dans la rue Bélanger, attire une clientèle aisée et cache une activité de prêt usuraire, financée par les sommes que lui rapporte Junior. Elle agit avec les mauvais payeurs comme le FMI avec l'Afrique et n'a pas de pitié dans son actif.

Elle tend le plat de riz à Frantz pour qu'il l'apporte à table, et prend les lambis.

— J'te jure, Marjo, parfois tu peux être plus terrible que Junior… T'es un homme dans un corps de femme. *Shit, man !* Je le connaissais, moi, Réginald. C'était un bon gars.

— T'as pas compris ce que ma mère vient de dire ? On retourne à table, allez !

— Il est où, papa ? demande Bijou, assise à côté de sa grand-mère.

— Il va arriver, ma chérie. Il a peut-être eu un problème de voiture…

Ce n'est pas tellement qu'elle ne puisse passer un moment agréable sans Junior, mais sa présence le dimanche soir, en face de ses parents, constitue comme une preuve de sa réussite sociale. Junior, en plus d'assumer un rôle d'objet sexuel, sert aussi de décoration.

CHAPITRE 7

Dans le taxi qui les mène au restaurant, le cellulaire de Frédérique continue de sonner désespérément, mais elle n'y accorde plus aucune attention et ne répond que par un soupir de lassitude. Les hommes qui poursuivent trop une femme obtiennent parfois ce qu'ils désirent, mais perdent toujours leur respect.

— J'espère que François a un bon forfait ! s'exclame Charlotte en riant, pour dire quelque chose.

Frédérique ne répond même pas. Elle a faim. C'est tout ce qui la préoccupe, car cette femme n'est jamais habitée que par une seule émotion à la fois.

Enfin, le taxi s'arrête devant le Lorena. Luigi, le portier, se précipite pour accueillir les jeunes femmes.

— *Buona sera, signora* Denoncourt. Heureux de vous voir.

— Salut, Luigi, répond Frédérique, contente de te revoir ! Pas de « vous » entre nous, s'il te plaît. On se connaît assez, non ? glisse-t-elle, presque indécente. Tiens, voici ma copine Charlotte, elle arrive de Paris.

— *Buona sera, signora*...

— Tu te l'es tapé ! s'exclame Charlotte presque devant le portier.

— On ne peut rien te cacher, ma chère. Tu veux l'essayer ? Il fait ça très bien.

Antonia, ravie de revoir Frédérique, les installe près de la fenêtre en faisant quelques gestes à l'intention de Dario, le serveur. Pour Frédérique, le Lorena a souvent été un refuge et les bras d'Antonia lui ont toujours offert le réconfort maternel que sa propre mère ne lui a jamais donné. À quelques mètres de leur table, le taxi qui a déposé les deux femmes n'a pas bougé.

— Le champagne, *signore*.

Ce seul mot réjouit Charlotte qui déshabille le serveur du regard en signe de début des réjouissances.

Les deux femmes rient en trinquant.

— Merci d'être venue, Charlie...

— Ça me fait plaisir, ma douce...

L'homme du taxi baisse lentement la vitre de la voiture. Il a ôté ses gants. Ses doigts portent plusieurs bagues arborant une tête de mort. Ses phalanges sont tatouées de dessins de mirador. Il compose un numéro sur son téléphone.

— *Todavía están en el restaurante*[10].

10 « Elles sont encore au restaurant. »

CHAPITRE 8

Dans la résidence de Marjorie, c'est le calme avant la tempête. De minute en minute, la jeune femme voit sa soirée dominicale de plus en plus assombrie par l'absence de son mari. Même les enfants semblent vraiment s'inquiéter.

— Maman, il est où, papa ? répète Bijou.

— Il va arriver bientôt, ma puce, répond Marjorie.

— Depuis tout à l'heure, tu dis qu'il va arriver bientôt... Bientôt, c'est dans combien de temps, combien de minutes exactement ?

— Bientôt c'est... bientôt.

— Pourquoi tu l'appelles pas sur son cellulaire ?

— Parce que papa est très occupé, mon cœur.

— Pourquoi ?

— Parce que...

— Parce que quoi ?

— Parce que c'est comme ça, c'est tout ! dit Marjorie, énervée.

— Il travaille ?

— Sûrement...

— Il travaille où, papa ?

— Partout...

— Ton papa est un entrepreneur, ma chérie, répond Frantz, embarrassé.

— Un entrepreneur ? Ça fait quoi au juste, un entrepreneur ?

— Plein de choses très importantes !

— Comme toi, tonton Frantz ?

Marjorie prend une grande respiration, se lève d'un bond et quitte la table.

— Venez, les filles, on va aller jouer aux Barbie avec grand-mère et grand-père, intervient Marie-Rose.

Marjorie, furieuse, restée seule dans la cuisine, s'est emparée de son téléphone avec rage.

— Espèce d'enculé, t'es mieux de répondre !

Junior décroche.

— Yo, bébé, capote pas, j'ai eu une urgence...

— Une urgence, vraiment ? J'te garantis que c'est là que tu vas te retrouver dès que j'vais mettre ma main sur ta gueule de pourri !

— *Babe*, laisse-moi t'expliquer ce qui s'est...

— Coudon, Junior Joseph, tu me prends pour une conne ou quoi ? Là, ouvre tes oreilles, ferme ta grande trappe, pis écoute-moi : ta fille, notre fille, te demande, pis j'sais pas quoi lui dire. Je ne sais plus quoi inventer pour couvrir ton cul ! La famille, c'est la priorité, Junior, pis ça passe avant tout : le *cash*, les putes pis les *boys* ! C'est pas de ma faute si ta mère n'a pas fait sa job pis qu'elle t'a abandonné. C'est pas de ma faute non plus si t'as pas de père ! C'est pas de ma faute si tu sais pas c'est quoi, une vraie famille ! En attendant, ni moi ni mes filles devons payer pour ton enfance dysfonctionnelle ! Alors, je te le répète pour la dernière fois : emmène ton cul de nègre ici rapide, sinon j't'arrache la tête pis j'vais jouer au soccer avec dans la cour !

— Mais *babe*...

— Et j'espère que tu t'es débarrassé de cette ordure de Réginald.

Marjorie raccroche.

— *Papa caca*[11] *!*

11 « Fils de pute ! »

CHAPITRE 9

Frédérique et Charlotte, à moitié saoules, se préparent à quitter le Lorena dans les embrassades d'Antonia qui les accompagne vers la sortie. Celle-ci devine que, pour elles, la soirée ne fait que commencer. Depuis dix ans qu'elle regarde avec une sorte de tendresse la dérive de cette jeune femme magnifique, elle ne lui a jamais adressé aucune critique, dans l'espoir secret que ses prières la mèneront à plus de sagesse.

— Tu m'appelles un taxi, Luigi ? demande Frédérique. Tu serais gentil.

Elle s'approche du valet et lui caresse les fesses. Surpris, Luigi s'esquive.

— Qu'est-ce qui se passe, mon lapin, ça te fait pas plaisir ? Si tu venais prendre une dernière grappa avec nous après ton service ?

— Avec joie... Je termine d'ici une heure ou deux. Je vous rejoins où ? demande Luigi.

— Chez moi.

— C'est pas un peu dangereux ? demande Charlotte, inquiète. On ne risque pas de faire de mauvaises rencontres ? Un ex, par exemple ?

— Cesse d'être parano, ma chérie. On va s'éclater, fais-moi confiance.

—T'as du stock, Luigi ? demande Frédérique avant d'entrer dans le taxi.

— De quoi t'as besoin ?

— La même chose que d'habitude. Si tu peux trouver de la coke aussi, ça serait cool. Tiens, voilà cinq cents dollars. Merci !

— *Ciao bella !*

Le taxi quitte le resto. Le chauffeur sud-américain, toujours au téléphone, le suit.

— *Van a llegar. Son borrachas*[12].

---

12 « Elles vont arriver. Elles sont saoules. »

CHAPITRE 10

Il est 22 h 30. Dans son salon, Marjorie fait les cent pas comme Hitler avant l'invasion de la Pologne. Cette fois, Junior ne répond plus. Les deux fillettes sont montées depuis longtemps dans leur chambre, mais pour leur mère, il est impensable de dormir avant le retour du coupable. Elle l'appelle encore une fois.

— L'abonné que vous tentez de joindre n'est pas disponible en ce moment. Veuillez réessayer un peu plus tard.

— *Fuckin* répondeur de merde ! Il a fermé son cell, j'vais le tuer !

Elle lance violemment son téléphone par terre et court dans le majestueux escalier qu'on dirait dessiné pour les situations dramatiques. Elle grimpe les marches par trois puis ouvre la porte de sa chambre brusquement, s'empare d'une machette dissimulée sous son lit, pénètre dans son vaste *walk-in* et se jette sur les vêtements de Junior.

Tout y passe. Sans exception. Marjorie détruit tout ce qui lui tombe sous la main. Il ne reste plus rien. Pas même un slip…

— Ça t'apprendra, espèce de tas de merde ! crie-t-elle toute seule. Maintenant, tu vas te promener à poil, sans chaussures, comme les enfants parrainés à Vision Mondiale, maudit chien !

Épuisée, les cheveux ébouriffés, quelques ongles cassés, Marjorie finit par s'effondrer sur le plancher en pleurant.

À quelques kilomètres de là, la Range Rover de Junior, stationnée devant le club de danseuses Chez Gigi, tangue légèrement. Christiana, une Sud-Américaine aux courbes parfaites, lui fait une fellation. C'est la récompense de Junior quand il a bien travaillé, offerte par la nouvelle, récemment arrivée à Montréal.

— *You no like it ?*

— Yo, si tu suçais comme il faut, y aurait pas de problème ! Awaye, la grande, force-toi un peu !

La Sud-Américaine continue de s'appliquer avec plus de vigueur.

— *Fuck*… J'ai trop bu ce soir. Rentre dans le club pis va me chercher une bouteille d'eau !

— *Too cold outside*, Papi…

— *Damn !* T'es mieux de te préparer pour l'hiver, la *chiquita* !

Junior se redresse et frappe dans la vitre. Un de ses *boys* faisant le guet s'approche.

— Oui, *chief* ?

— Yo, J.B., va m'chercher de l'eau ! *Fuck man*, j'ai la tête qui tourne... *Shit !*

J.B. s'exécute sur-le-champ.

— Bon OK, OK... Arrête, ça me tente pus !

— *Wait a minuto, let me finish my job...*

— *Fuck man !* J'ai dit que ça me tente pus, c'est clair ? Awaye, *get the fuck out of my car ! Now !*

— OK... Tu tiens des *problems* avec ta femme ? demande Christiana.

— *What, bitch ?* Viens-tu de parler de MA femme ?

Junior agrippe Christiana par sa crinière et lui administre une gifle bien sonnée.

— Parle JAMAIS de MA femme, jamais, *you fuckin dumb bitch !* Là, sors de ma *ride* pis vite !

Junior ouvre la portière et pousse Christiana à l'extérieur. Il fouille dans la poche de son pantalon et en sort une grosse liasse de billets qu'il lui lance au visage.

— *Stupid cunt !* Même pas capable de sucer, la *mexicana*, pis ça ouvre sa gueule pour parler de MA femme !

J.B. arrive, bouteille d'eau à la main, et aide Christiana à se relever.

— Yo, J.B., laisse faire la *bouzin*, intervient Junior. Emmène-moi la bouteille d'eau !

Christiana regarde la Range Rover de Junior quitter le stationnement. Elle se recoiffe rapidement, ramasse ses affaires et fait signe à un véhicule qui s'avance vers elle. Elle monte dans la voiture et s'assied à côté de Réginald, couvert de pansements et à moitié conscient. Elle remet à un des hommes le iPhone de Junior.

CHAPITRE 11

Saint-Sauveur, 2 h du matin. Dans un immense chalet en bois rond, juché sur le haut d'une montagne, des gémissements traversent le silence. Frédérique, Charlotte et Luigi se tapent une chaude partie de jambes en l'air. Le téléphone sonne… encore. Frédérique, à demi consciente, répond par automatisme.

— Oui…

— S'cuse, minou… j'sais… y est tard. J't'ai appelée toute la journée depuis à matin, tu réponds jamais…

— On dit « ce » matin, François, et non pas « à » matin…

— Ben là, minou, ça veut dire la même chose, là, on s'en câlisse-tu !

— Il est 2 h… Qu'est-ce qu'il y a, François ? demande froidement Frédérique.

— Faudrait que j'te parle, c'est urgent. J'veux venir chez nous.

— Frank... Pas maintenant, je dors. Et en passant, c'est chez moi... pas chez nous.

— Ouin, pis ? On s'en crisse, chez nous, chez vous ! *Anyway*, faut que j'vienne au plus sacrant, minou, y a du danger...

— J'ai dit non, François.

— C'est grave, j'te jure !

— C'est terminé entre toi et moi... Si tu as besoin de quelque chose de précis, appelle-moi demain.

— Sacrament, minou, tu l'sais que j't'aime au boutte ! T'es en danger, tu comprends-tu ?

— En danger de quoi, François, qu'est-ce que tu racontes ?

—Y a des choses qui se passent, câlisse. J'peux pas dire ça comme ça, c'est trop dangereux.

— Plus tard, François, je dois dormir...

— On a un flo ensemble, tu t'en crisses, c'est ça ?

— Elle est chez mes parents... Laisse-moi dormir.

— Ben, donne-moé-la, simonac ! Il faut qu'elle quitte le pays au plus crisse !

Dans son état, Frédérique, incapable de suivre la conversation et tout entière habitée par son envie de vomir, répète des phrases toutes faites.

— Elle est chez ma mère, tu le sais bien. Et plus en sécurité que chez un... chez un gangster. Tu es un gangster, un motard, un *dealer*, un tueur, un...

— Wow, minute, parle pas d'même sur le téléphone, tabarnak ! Ma ligne est peut-être tapée par les cochons…

— Des cochons ! Pourquoi est-ce que tu me parles de cochons, François ? Qu'est-ce que tu racontes ? finit-elle presque en riant et d'une voix peu articulée.

François, furieux, frappe violemment sur son volant en empruntant l'autoroute 15 Nord, direction Saint-Sauveur.

— Tabarnak, y vont la tuer, Frédérique ! Y vont tuer tout le monde, crisse !

Mais Frédérique a déjà raccroché et vomit maintenant dans la salle de bain.

Cash accélère vers Saint-Sauveur.

CHAPITRE 12

Antonia et Angelo dorment paisiblement, enlacés comme de jeunes amoureux, en pyjama. Le téléphone réveille le couple. Angelo décroche le combiné. Antonia écoute craintivement le silence de son mari et tente de comprendre ce que dit son interlocuteur, sans succès. En quelques secondes, elle fait instinctivement le tour de la situation. Il n'y a que Gianni, le *consigliere*, qui peut se permettre d'appeler à cette heure. Il ne l'a fait que deux fois. Pour leur annoncer deux très mauvaises nouvelles. Antonia se relève et s'assied dans le lit. Elle observe le dos de son mari. Un dos courbé, amaigri par le temps, le poids des soucis et cette responsabilité qui pèse sur ses épaules depuis des décennies. Bien sûr, il y a eu tous les problèmes d'une vie : l'éducation des enfants, leur avenir, les espoirs déçus, les amis qui partent un à un. Mais aussi tous les soucis qu'il n'a pu partager avec personne, par discrétion, par sécurité ou par devoir, et avec lesquels il s'est endormi chaque soir, sans un mot, sans un signe. Comme il a dû se sentir seul tout au long de ces années, lui que tant de gens envient. Elle éprouve soudain un désir irrésistible de le prendre dans ses bras pour le réconforter de la dureté de la vie et le protéger de l'avenir qu'elle pressent tragique, mais elle n'ose pas. Les femmes n'osent pas toujours se montrer plus fortes que les hommes qu'elles admirent. Après quelques instants, Angelo répond simplement, d'une voix froide :

— *Va bene.*

Angelo raccroche et ne se retourne pas vers sa femme. Ses épaules semblent encore plus lasses maintenant. Antonia craint soudain qu'il s'effondre.

— *Amore*, Gianni vient d'appeler, souffle-t-il en regardant par terre. Ça se passe ce matin. Ils vont arriver avant l'aube.

Mille questions surgissent dans la tête d'Antonia, mais, par une discipline devenue habitude, elle n'en pose aucune. Que s'est-il passé ? Qu'a dit Gianni, le *consigliere* et ami de la famille, celui qui est toujours mesuré dans ses déclarations ? Que va-t-il se passer ? Que vont-ils devenir ? Est-ce que les enfants sont en danger ? Comme s'il ne voulait pas entendre ces questions qu'elle ne pose pas, Angelo regarde par terre, les mains sur les oreilles. Puis, il allume un cigare. Il n'a jusqu'ici jamais fumé dans leur chambre.

Antonia se dirige vers la cuisine, démarre la machine à espresso, prend son chapelet et commence à prier en silence.

Angelo s'habille lentement. Il choisit un magnifique costume trois-pièces couleur sombre et un chandail à col roulé. Pas de cravate cette fois-ci. On risque de la lui enlever. Il regarde chacun des portraits de famille soigneusement accrochés au mur.

— Il faudrait peut-être avertir les garçons…, dit Antonia.

— *Amore*… Laisse-moi faire. Je vais m'en charger. *Non ti preoccupi.*

Ce genre de remarque, combien de fois en a-t-elle entendu ? C'est toujours un homme qui doit s'occuper de ce qui est important.

— Tu veux manger un p'tit quelque chose, une brioche avec un cappuccino, peut-être ?

— Non merci, *tesoro*…

Des larmes coulent sur le visage d'Antonia. Elle se sent inutile, mise à l'écart des tourments intérieurs de son mari, même s'ils la concernent directement. Elle détourne son visage pour cacher sa détresse. Angelo serre sa femme dans ses bras.

— Pourvu que ma conscience ne me fasse pas de reproches, je suis prêt à subir la volonté de la fortune, lui souffle-t-il en l'embrassant.

C'est sa citation préférée de Dante, celle qu'il a toujours répétée lorsqu'on le convoque devant les tribunaux.

Antonia ne parle pas. Aucun son ne sort de sa bouche. La situation est grave. Pourtant, elle semble déceler un sourire dans les yeux de son mari. On dirait presque qu'il est heureux de partir pour le pénitencier. Elle pressent que quelque chose de beaucoup plus grave se dessine, une chose à laquelle son mari ne pourra pas faire face à cause de son âge.

CHAPITRE 13

Westmount. 4 h 45 du matin. Avenue Grosvenor.

Junior descend de l'auto en titubant. Il marche jusqu'à sa résidence et ouvre la porte tranquillement. Son chien, Money, accourt à ses pieds.

— *What's up, Money, baby !*

En levant les yeux, il aperçoit Marjorie, descendue à sa rencontre à toute vitesse pour régler son sort.

— *Hey sexy*, tente Junior en s'approchant pour l'embrasser.

Marjorie lui assène une gifle monumentale.

— Bon, si c'est pas mon p'tit chien pas de médaille qui rentre au bercail ! Quoi, c'est la SPCA qui t'a retrouvé et qui est venu te déposer devant ma porte ?

— *Come on, beautiful...*

— Fous-moi le camp dans le cabanon, tu vas dormir là, gros cave, as-tu vu l'heure qu'il est ?

— Euh... 1 h, à peu près.

— Une heure ? *Are you fuckin for real?* Il est presque 5 h, trou d'cul ! Tu penses que tu vis à l'hôtel ?

— *Sorry, babe*... Fallait absolument que je règle le cas de Réginald, pis après, j'suis passé au casino rencontrer des Chinois, pis ensuite... J'ai pas pu t'appeler... J'ai perdu mon cellulaire.

— Heille, *fuck you, loser*, j'en ai rien à cirer, de ton emploi du temps ! Tes *squeezes*[13], y en a pas une qui a un cell ? Tu sens l'alcool et le parfum *cheap* de *bouzins* à plein nez ! Tu m'écœures, Junior Joseph ! J'en ai plein mon cul ! Je demande le divorce.

— *Come on, babe*, parle pas de divorce, j'haïs ça... C'est vrai que j'avais de la *business* à régler, j'ai fait plein de *cash*...

Junior sort de sa poche une énorme liasse de billets que Marjorie s'empresse de lui arracher des mains.

— Bon, maintenant, t'en as plus. Dégage de ma face !

— *Come on, sexy*, tu te comportes comme un *pimp* !

— Un *pimp* ? C'est pour nous que j'fais ça, crétin ! Pour toi, moi et nos filles. T'es incapable d'économiser une cenne de toute façon. Une chance que je suis là,

13 « Partenaires sexuelles »

sinon on vivrait dans le ghetto à manger du Kraft Dinner !

Sans l'argent récolté par Junior, jamais Marjorie, qui le connaît depuis la polyvalente Calixa-Lavallée, n'aurait accepté sa demande en mariage. Elle ne l'a pourtant pas épousé pour son argent, condition nécessaire mais non suffisante. Elle l'a épousé parce qu'elle l'aimait et qu'il était auréolé de sa fonction de chef des Zinglindos, un gang qu'il venait de créer. Marjorie n'aurait pu tolérer que celui qui, avec sa permission, donnerait des ordres à ses enfants, obéisse à un autre homme. Elle le respecte dans ses attributions de guerrier, mais le traite comme un inférieur aussitôt qu'il en sort.

— *Sweetie*…

Il essaie d'avancer dans la maison, comme pour en reprendre possession.

— J'veux plus te voir ni t'entendre, fous le camp dans le cabanon, pis emmène ton estie de caniche qui passe son temps à pisser sur mon tapis !

—Y a pas de douche dans le cabanon, *babe*…

Elle s'avance vers lui.

— Qu'est-ce que j'm'en tape ! Sers-toi de l'arrosoir dans la cour !

Junior feint de s'en aller, puis, se retournant :

— J'peux prendre un pyjama ?

Marjorie lui laisse toute la place pour passer…

Penaud, il se dirige vers le *walk-in*. Elle l'attend en bas, près de la sortie, en tenant la porte grand ouverte. Il découvre les ravages de l'ouragan Marjorie et ressort aussitôt.

— Yo, bébé... Qu'est-ce que t'as fait là ? Mes vêtements... *Shit !*

— *Who cares ?* C'est moi qui ai tout acheté, *anyways* ! Pis j't'avertis, la prochaine fois que tu disparais, je prends nos enfants et je fous le feu à la maison !

— *Baby, come on*... C'est pas comme si j'avais disparu depuis des jours ! J'suis parti quelques heures et j't'ai ramené plein de *cash* ! C'est comme ça que tu me remercies ? *Shit !*

— Junior Joseph, j'te rappelle que je suis ta femme, *hello !* Tu me dois honneur. Et respect.

Junior, qui ne pense qu'à éviter les problèmes immédiats pour entrer dans son lit, tente encore de s'approcher.

— *Come on, love*... Donne-moi un *break*, *please* ! On parlera de ça demain.

— Non, pas question. Ici, c'est moi qui mène, *that's it that's all. It's my way or the highway*...

Junior quitte la maison.

CHAPITRE 14

Charlotte et Luigi dorment à poings fermés dans la chambre pendant que Frédérique, nue, insomniaque, renifle une ligne de cocaïne. Elle s'approche du téléphone pour appeler Larry, comme chaque fois qu'elle se sent perdue. Il ne répond pas. Elle trébuche contre un fauteuil et s'écroule.

— Je... je crois que j'ai un peu trop bu...

Elle trouve la force de se relever, se traîne jusque dans la salle de bain, ouvre l'armoire à pharmacie et prend deux flacons de comprimés.

— Merde... C'est lequel encore ?

Elle tient dans ses mains un flacon de Valium et un autre d'Ativan.

— Bon... Quelques-uns de chaque, ça va me faire du bien.

Quand elle retourne dans la chambre, le système d'alarme se déclenche bruyamment.

— Putain, qu'est-ce qui se passe ? crie Charlotte de son lit, réveillée en sursaut.

— Il y a quelqu'un dans la maison ! s'écrie Luigi.

Il s'est assis sur le lit, ne comprenant pas bien ce qu'il fait là, et semble paniqué.

— Non, non, je crois que c'est le système d'alarme qui déconne, répond Frédérique, à moitié inconsciente. Je n'ai vu personne.

— Mais fais quelque chose, Fred, c'est infernal ce vacarme !

Charlotte est sortie de son lit comme une furie, avec la chemise de Luigi sur les épaules. Elle descend les escaliers. Frédérique, à côté du système d'alarme, essaie différentes combinaisons.

Charlotte la bouscule.

— C'est quoi, le code ?

— Le... le 2222, je crois... j'sais plus... J'suis un peu perdue.

— Putain, Fred ! Réveille-toi, bordel !

Frédérique oscille entre la honte et l'envie de dormir.

— Non... c'est la date d'anniversaire de Maxim, je crois...

— C'est quoi la date ? C'EST QUOI LA DATE ?

— J'en sais rien... Arrête de crier ! C'est François qui la connaît.

— Mais t'es pas possible, toi ! Tu l'as fait ce soir en entrant...

— J'ai trop bu... Je veux dormir...

— On veut tous dormir, Fred ! hurle Charlotte en continuant de tapoter sur le clavier.

Par miracle, l'alarme s'arrête soudain.

— C'était le 2212, dit calmement Luigi. J'ai essayé au hasard.

— Bravo, Luigi, s'exclame Charlotte en remontant à l'étage, tu es un sauveur ! T'as raison, Maxim est née en décembre... Bon, ça y est, j'peux plus dormir ! Merde ! En plus, j'ai le décalage horaire...

— Fume un joint avec moi, dans cinq minutes, on va planer...

Il allume un autre joint. Frédérique, couchée dans un fauteuil du salon, n'a pas eu la force de remonter. Tout le monde est endormi quand le véhicule de François entre dans le garage souterrain de la maison. À l'extérieur de la résidence, une dizaine de policiers membres de l'escouade GMIT[14] encerclent la propriété et se dissimulent dans la cour arrière. Cash ne les aperçoit pas. Il laisse descendre son chien, puis fait basculer une étagère remplie d'outils. Dans le monde criminel, Interac n'a pas beaucoup de clients. Ses banques sont toujours ouvertes et il n'y a pas de frais d'administration. En pivotant, l'étagère s'ouvre sur une petite pièce contenant une table, une machine à compter les billets et quelques boîtes

14 Groupe mobile d'intervention tactique

de munitions dans une caisse de douze bières. Cash soulève une petite trappe en béton et sort les liasses de billets qu'il place dans son sac de hockey des Canadiens. Il prend tout. Dans quelques minutes, il ira chercher Frédérique et l'emmènera, de gré ou de force. Puis ils passeront prendre Maxim et quitteront le Québec.

— Sacrament, le gros, ferme ta yeule ! Maudit chien à marde, il va encore réveiller l'estie de voisin fatigant, pis lui, le cave, il va appeler les cochons, câlisse !

Le rottweiler ne cesse de japper. Cash referme rapidement sa banque privée et sort chercher l'animal, les liasses dans son sac.

Cash n'a jamais accepté que sa fille soit élevée par les parents de Frédérique. Pour lui, cela a toujours été une solution temporaire. Mais maintenant, il n'y a plus de temps à perdre, et il faut la mettre à l'abri, avec sa mère, du massacre qui se prépare.

— Ben ! Ben, t'es où, viarge ! Awaye icitte !

Ben continue de japper dans le noir. Cash se tient debout face à la nuit, son sac de hockey à la main. Il les emmènera près de Sudbury, dans une pourvoirie reculée.

— Bon, y a fermé sa yeule… Ça doit être une mouffette qui l'fait freaker ! Viens-t'en !

Il s'apprête à retourner dans le garage pour monter dans la maison lorsque les dix hommes du

GMIT l'encerclent et le placent en état d'arrestation. Les trois occupants de la résidence, trop intoxiqués pour entendre quoi que ce soit, ne réagissent pas.

CHAPITRE 15

Dans la salle de bain, à 7 h du matin, Marjorie fait comprendre à Junior, avec tout son savoir-faire, qu'elle seule est sa femme. Revenu penaud comme un enfant puni après une heure passée dans le cabanon, il a rejoint sa femme à l'aurore. Les deux pommeaux de la douche Hansgrohe Rainfall, gigantesques, projettent l'eau chaude en effet pluie et cascade sur le couple. Marjorie empoigne le sexe puissant de son mari et le dirige vers sa bouche.

Junior est passé de la cabane à la douche par une sorte de magie créole : chez certaines Haïtiennes, la fierté, en effet, ne consiste pas à renvoyer un mari infidèle, mais au contraire à se le réapproprier sexuellement. Un mari, un père, reste un être inamovible qui confère la dignité à une femme, même s'il n'en a aucune lui-même. Une épouse efface le souvenir d'une maîtresse en dépassant ses prouesses, et Marjorie, ancienne danseuse nue, sait très bien comment Junior aime qu'on l'aime : comme une affamée. La sonnette de la porte d'entrée ne parvient pas aux oreilles du couple.

Les policiers défoncent alors la porte.

— *Shit ! Fuck !* s'écrie Junior, dans le vacarme.

Il sort précipitamment de la salle de bain, encore en érection, pour récupérer son arme dissimulée sous son lit.

— Qu'est-ce qu'il y a, June ? demande Marjorie qui s'est dressée, effrayée, dans la vapeur de l'eau chaude.

— *Goddamn it*, c'est les babylones !

Quatre policiers sont déjà dans la pièce, en tenue d'assaut. Marjorie, ne songeant pas à se rhabiller, veut se précipiter dans la chambre des enfants, avec un instinct immédiat de protection maternelle.

— Police ! Awaye, tout l'monde à terre, pis vite ! Lâche ton arme, Junior !

Junior laisse tomber son arme et s'allonge sur le sol, sous les hurlements de sa femme. Marjorie, poussée par un des agents, se couche sur le sol mouillé de la salle de bain. Elle se retourne pour lui cracher au visage.

Un policier menotte son mari.

— Hey, le sauvage, t'as-tu un mandat pour être ici ? hurle-t-elle en lui jetant un regard haineux.

— Oui, madame, pis deux à part de t'ça : un pour l'arrestation de Jean Ernest Junior Joseph, pis un autre pour perquisitionner le domicile.

Il n'a pas réagi au crachat de Marjorie, et recouvre ses fesses d'ébène d'une serviette jaune.

La douche continue de couler dans l'effet cascade et pluie.

— Maudite gang de racistes, c'est parce qu'il est noir, c'est ça ?

— Il serait violet, ça ne changerait rien, madame. Votre mari a de nombreuses charges contre lui.

— Ah oui, comme quoi ?

— Madame, j'vous en prie…

— Attends une minute, tu m'arrêtes pour quoi exactement ? intervient Junior.

— Kidnapping, torture sur la personne de Réginald Valsaint. Il a été retrouvé ce matin avec des membres amputés. Vous voulez des détails ?

— OK, j'veux parler à mon avocat, d'abord !

Le policier continue :

— Trafic de stupéfiants, association de malfaiteurs…

— Mamy…

Bijou et Gucci, en pleurs, tentent de rejoindre leurs parents dans la salle de bain. Les deux policiers postés devant la porte les en empêchent.

Marjorie, animée d'une force surhumaine, se redresse d'un bond et saute au cou d'un des hommes.

— Ah ben tabarnak, lâche mes filles tout de suite, fils de pute !

Elle est immédiatement maîtrisée.

— Calmez-vous, madame. Il vaut mieux que les petites ne voient pas leurs parents dans cet état.

— Tu touches pas à un cheveu de mes filles, sinon j'te tue, gros porc !

— Madame, arrêtez de parler... On pourrait vous embarquer pour menaces de mort. Allez plutôt vous habiller et éloignez les enfants.

Marjorie enfile son peignoir et rejoint les fillettes.

— Je vous jure que j'vais porter plainte !

— C'est votre droit...

— J'vais m'adresser à la Ligue des Noirs, au ministère de la Justice, j'vais appeler Paul Arcand... pis Claude Poirier aussi !

Junior est escorté hors de la maison.

Les jours difficiles ont commencé.

CHAPITRE 16

— Je n'ai pas joui, Larry.

Larry, en se rhabillant, se retourne vers Frédérique et la regarde d'un air fatigué. L'arrestation de Cash, son plus gros client, le met doublement dans l'embarras. Frédérique n'a plus aucune retenue, et Cash doit être libéré au plus vite. Bien sûr, l'incarcération de Cash le protège de sa jalousie. Mais au fond, il voudrait se débarrasser de Frédérique, qui semble de plus en plus amoureuse. Il la regarde dans le miroir de la chambre. Elle avale des comprimés d'un air habitué, comme pour se soigner de n'avoir pas eu d'orgasme. Elle utilise maintenant sa drogue pour lutter contre n'importe quelle contrariété.

— Je t'avais dit que je suis pressé. J'ai une audience dans moins d'une heure.

Il est surtout pressé de quitter cette chambre de l'hôtel Sacha, en plein centre-ville. Son client est sans doute en prison, mais il suffit d'une dénonciation de la part d'un serveur, d'un autre client ou d'une femme de ménage pour que Larry se retrouve au fond du coffre d'une voiture.

— Et mon cunni ?

Frédérique a prononcé ces mots avec l'air pitoyable des petits animaux en fin de chaîne alimentaire qui se méfient des oiseaux comme des serpents, et ne possèdent sur la face aucune place pour un sourire. Trop saoule pour jouir, Frédérique n'en demande d'ailleurs pas tant, mais un peu d'affection, ou au moins d'attention. Ou enfin, un peu de temps. Et le seul temps qui lui est accordé par cet homme à l'horaire surchargé est celui qu'il consacre à son propre plaisir.

— Je dois y aller, je te dis. *I got a lot of work to do*.

Larry, qui cache sa calvitie sous une transplantation coûteuse comme on cache des poussières sous un tapis, et son embonpoint sous des vestons croisés qu'il décroise cinq fois par semaine pour ses rapides rapports sexuels, se reboutonne comme à la fin d'une réunion avec un comptable.

— Est-ce que tu te fous de moi, Larry ? Quand c'est pas le boulot, c'est ta femme et tes enfants, ou c'est le golf, ou c'est...

— T'es stupide *or what* ? Il a des hommes partout. Il peut l'apprendre n'importe quand. Et me faire tuer !

— Tu ne penses qu'à toi... comme d'habitude.

— *Hold on a minute!* Tu savais très bien dans quoi tu t'embarquais depuis le début. Je risque ma vie chaque fois qu'on se voit. *Listen,* j'ai pas le temps pour ton *drama* ce matin.

Il avait eu le temps trois ans plus tôt, au début de leur idylle, dans ce bar jet set du Vieux-Montréal. À cette époque, le couple de Frédérique et François battait déjà de l'aile, et elle passait la plupart de ses soirées à faire la fête avec des copines pendant que son conjoint brassait de sales affaires avec ses acolytes. Ce soir-là, Larry l'avait ramassée complètement saoule, sur le trottoir devant le bar, et ils avaient passé la nuit dans son baise-en-ville de l'île des Sœurs. Un homme qui couche avec une femme saoule ne vaut pas mieux qu'elle, et cette déchéance commune les avait unis.

Larry ajoutait à sa réputation de plaideur vorace pour les motards celle de coureur de jupons. Frédérique était tombée éperdument amoureuse de lui. Peu attentive au physique de Larry, elle avait éprouvé une véritable fascination pour son éloquence et sa culture. Il suffisait qu'il parle d'à peu près n'importe quel sujet pour qu'elle éprouve l'envie d'être possédée par cet homme. Comme il intimidait les témoins en cour, il l'avait touchée grâce à son indéniable charisme et à cette sorte d'intelligence féroce qui fascine souvent les jolies femmes. Sa voix la rassurait ; en sa présence, il lui semblait qu'elle retrouvait en elle-même une personne qu'elle avait été il y a très longtemps et qu'aucun autre homme n'avait jamais mise au jour. Elle qui n'avait jamais cuisiné pour aucun de ses amants, et qui exigeait des restaurants de luxe tous les soirs, se surprenait à lui préparer des œufs miroir, un de ses plats préférés, avec un soin délicat, attentionné, presque inquiet. Elle cherchait à lui obéir et attendait presque ses ordres pour exercer son amour, comme font les petites filles avec leur papa. Par manque de perspicacité, on imagine souvent les bombes sexuelles en quête de bellâtres. Mais la beauté, pour elles, fait partie de leur quotidien, et elles recherchent souvent davantage le mental que le physique. Leur fascination devant un cerveau masculin ressemble à celle qu'éprouve celui-ci pour l'esthétique féminine. C'est pourquoi Marilyn se rapprocha d'Arthur Miller et que Pamela Anderson serait bien tombée amoureuse de l'auteur de la théorie de la relativité, à défaut de celle de la gravitation universelle. Larry, pour sa part, prenait l'activité sexuelle comme une sorte de tao des cons, destiné principalement à évacuer d'entre ses cuisses les tensions accumulées dans ses dossiers. Frédérique, bien entendu, se persuadait, avec l'aide de quelques comprimés, qu'elle était entourée d'amour.

— Tu m'avais promis de quitter ta femme le jour où François ne serait plus dans le décor.

— Parce qu'il n'est plus dans le décor ? Il est en prison, pas au cimetière ! Et pas encore condamné, en plus. Son arrestation ne date que d'hier.

— Et alors ?

— OK, *honey*, j'y vais.

— On se revoit quand ? implore Frédérique, toujours nue, recroquevillée contre l'oreiller de Larry.

— Bientôt.

— Tu me le jures ?

— Sur la Bible, répond Larry sans la regarder.

— T'es même pas catholique..., rétorque Frédérique en regardant le minibar.

CHAPITRE 17

— Maître Coulombe, Junior en a pour combien de temps ?

C'est la troisième fois que Marjorie pose la même question à son avocat. Sans obtenir la réponse attendue. Les avocats, de quelque branche qu'ils soient, sont tous spécialisés dans l'ambiguïté. Et maître Coulombe, le criminaliste réputé dont l'une des qualités, et non la moindre, consiste à être le fils du juge Marcel Coulombe, tourne autour du pot depuis trente-cinq minutes, à la montre en or de Marjorie.

— Madame Cadet, je comprends votre désarroi, mais la justice…

— Qui parle de justice ici ? Vous trouvez ça juste, mes deux petites filles qui pleurent tous les soirs ? Il n'y a pas encore eu de procès et elles sont déjà punies… Et mes comptes en banque saisis ? Je fais comment pour vivre, moi ?

— Je crois que vous avez un peu de ressources de côté, non ? rétorque l'avocat en esquissant presque un sourire.

En tant que conseiller des plus importants gangs de Montréal, maître Coulombe n'ignore rien de la comptabilité complexe de ses clients, car il en vit très bien depuis quinze ans. Cette salle de conférence, au dernier étage d'un important immeuble de la rue Sherbrooke, l'épais tapis et même la table sur laquelle on dépose les dossiers difficiles ont été payés par des *dealers* innocentés, avec l'argent issu des crimes pour lesquels maître Coulombe les a fait acquitter.

— Maître Coulombe, Junior en a pour combien de temps ?

Une secrétaire au galbe de Ferrari dépose un document urgent sous les yeux de l'avocat et referme la porte en laissant traîner un effluve de *Miss Dior Chérie*. « Qui est l'imbécile qui a dit que l'argent n'a pas d'odeur ? Il a même une minijupe et des talons vertigineux », pense Marjorie.

— Je vais tenter d'organiser une visite contact avec lui pour vous et les enfants, répond-il en parcourant rapidement le document.

— Quand ?

— Rapidement. Faites-moi confiance. Ma secrétaire vous rappelle aujourd'hui.

— Maître Coulombe, dites-moi la vérité... Il en a pour combien de temps ?

— Je ne saurais vous le dire, Marjorie, fait l'avocat en continuant d'examiner le dossier. Il faut attendre le procès... Pouvez-vous m'expliquer comment la police a pu mettre la main sur le iPhone de votre mari ?

— *Oh my God !* Il y a tout, là-dedans... Il l'avait perdu... Vous pouvez quand même me dire combien il risque ! Vous êtes un des meilleurs criminalistes du Québec.

— C'est justement pour cela que je ne peux pas vous répondre. Je ne suis pas Dieu, vous savez.

— Quand on fait des miracles, on s'appelle Dieu, rétorque immédiatement Marjorie pour le motiver. Or, vous en avez déjà fait.

— Marjorie, je comprends votre impatience, mais...

— C'est Noël dans un mois et demi, l'interrompt-elle. Le premier où il ne sera pas avec moi depuis dix-huit ans !

— Je sais...

— Vous savez quoi ? La douleur que je ressens, le vide que je vis tous les jours, la honte et la colère que j'éprouve, *hello* ?

— C'est un peu le risque de son métier, reprend l'avocat d'un ton sec. Beaucoup de mes clients passent d'étranges vacances de Noël. Moi aussi, d'ailleurs. Demandez à ma femme. Je dois être à l'audience de la cour de Saint-Jérôme dans trente minutes. Je vous tiens au courant.

Il se lève comme si Marjorie allait rester là, sans attendre qu'elle le suive. Elle est effondrée.

— *Oh my God!* Junior ne supporte pas la prison, c'est pas pour lui, ce style de vie. Se lever à une heure fixe, obéir à des Blancs... Il va devenir fou !

— Au revoir, madame Cadet, conclut-il.

Maître Coulombe ne plaint plus ses clients depuis quinze ans.

Angelo Syracusa observe la pluie et le vent de novembre qui giflent la fenêtre grillagée du parloir de la prison. À cause d'une sorte de pudeur, les deux Siciliens ne se regardent que très rarement dans les yeux lorsqu'ils se parlent.

— Je ne te remercierai jamais assez, Gianni. Tu as eu une idée de génie.

Le *consigliere* acquiesce.

— En prison, tu es en sécurité. Ça va être plus difficile pour les autres...

— Des nouvelles de Junior Joseph ?

— Ils l'ont arrêté chez lui. Il en a pour dix ans au moins. Même chose pour Cash.

— Mon dossier ?

— Ils n'ont que ce qu'on leur a donné. Dans six mois, tu es libre, le temps de reprendre tout en mains. Inutile de te dire que si nous n'avions pas préparé le coup...

— Je serais en dedans pour le reste de mes jours, je sais. Anticiper a toujours été ta spécialité.

— À vrai dire, je pensais qu'ils nous tueraient tous... Ils n'ont même pas touché à Junior. On dirait que leurs méthodes s'adoucissent.

— Je ne le crois pas. D'ailleurs, ça revient un peu au même. Ils n'ont pas touché à Junior, mais ils l'ont mis sérieusement de côté. Ça va être la guerre de succession chez les Haïtiens. Comme chez les Soul Ryderz... Sans chef, ils vont tous vouloir agir à leur guise. Puis ce sera la guerre de territoires. Même New York craint ça.

— New York est dépassé aussi, Angelo. J'ai reçu un appel ce matin. Ils sont prêts à t'écouter.

— C'est bien... Cette situation est presque comique... Entreprendre la plus grande guerre de gangs de l'histoire, confortablement installé dans une prison...

Gianni sourit à cette remarque. Il éprouve une admiration profonde pour l'homme devenu, en quelques années, l'un des plus puissants narcotrafiquants d'Amérique du Nord.

Depuis la fin de la Seconde Guerre mondiale, la mafia montréalaise, grande fournisseuse d'héroïne auprès de New York, a connu différentes querelles internes opposant les Calabrais et les Siciliens. Il lui a fallu également composer avec d'autres groupes, soit en les éliminant, ce qui est toujours la méthode la plus rapide pour mettre de l'ordre, soit en négociant des alliances, toujours fragiles, avec des ennemis jurés. Mais la collaboration d'Angelo et Gianni, grâce au trafic de cocaïne, a hissé le clan Syracusa au rang de « sixième famille », et ce dernier traite désormais d'égal à égal avec les cinq familles new-yorkaises.

Syracusa avait vu avant tout le monde l'arrivée de la manne céleste. Alors que tout le crime organisé s'intéressait majoritairement à l'héroïne, Syracusa avait convaincu Gianni, à la fin des années 1960, d'investir tous leurs efforts dans la cocaïne, dont il voyait la demande augmenter sensiblement d'année en année. Stratégiquement, elle offrait selon lui plusieurs avantages. D'abord, le produit était cultivé sur le continent américain, ce qui réduisait les difficultés du transport. Ensuite, les fabricants étaient tous de culture latine, d'une mentalité beaucoup plus proche de celle des Siciliens que les producteurs d'opium. Enfin, la cocaïne était une voie d'accès royale vers les plus hautes sphères de la société, qu'il s'agisse de Wall Street ou du Congrès. Beaucoup de grands consommateurs exerçaient d'importantes fonctions politiques et pouvaient dès lors influencer favorablement les opérations de blanchiment, qui constituent toujours le maillon le plus délicat de la chaîne. En somme, Syracusa avait vu avant tout le monde l'extraordinaire potentiel d'intégration d'une substance dont Woody Allen a dit qu'elle est un signe envoyé par Dieu pour dire aux gens qu'ils ont trop d'argent.

— Comment va Antonia ?

— Elle n'est au courant de rien, bien sûr. Mais elle ne pose pas de questions. Elle s'inquiète pour ton diabète.

— Tu la rassureras. Ils me traitent très bien ici. As-tu parlé à mon fils ?

Angelo ne croit pas devoir préciser de quel fils il parle... Il s'agit de son fils aîné, bien sûr, Angelo junior, le seul capable de prendre sa succession.

— Il est déjà au courant de tout et il attend des directives. Je dois le voir cet après-midi.

La formation d'Angelo junior a constitué l'un des plus grands plaisirs de Gianni. Son esprit vif, structuré par des études universitaires, était capable de saisir très rapidement l'ensemble d'une situation dans toutes ses ramifications. En 2009, il a offert à son père, pour son anniversaire, une photocopie laminée d'un article paru dans le *New Scientist* révélant que plus de 90 % des dollars américains alors en circulation portaient des traces de cocaïne. C'était une sorte d'hommage au caractère visionnaire de son père, qui l'a beaucoup touché. Parlant parfaitement espagnol grâce à des séjours prolongés en Colombie, il a été le premier à informer le clan des mesures antidrogue prises par le gouvernement local, déplaçant la production de cocaïne vers le Pérou et la Bolivie.

Mais personne, de tous ces visionnaires, n'aurait pu imaginer les conséquences de ce transfert.

— Bien, tu me raconteras demain matin. Je t'attends à 10 h.

CHAPITRE 18

SIX MOIS PLUS TÔT

Les touristes qui veulent se rendre au Salvador devraient consulter le site Internet du ministère des Affaires étrangères du Canada avant d'acheter leur billet d'avion. Son ton paternaliste n'a que faire des précautions diplomatiques. « Les Canadiens devraient faire preuve d'une grande prudence. Les crimes comme les vols à main armée, les détournements de voiture, les viols et les enlèvements sont courants dans tout le pays, notamment en raison de la prolifération des armes et de la délinquance juvénile », annonce-t-il sans ambages. Tout est dit. Sauf un mot.

Celui qui terrorise l'Amérique centrale.

Les gangs.

Certes, le crime organisé, comme les insectes, existe sous différentes formes dans tous les pays du monde. Mais au Salvador, le crime est désorganisé.

À la fin des années 1970, la guerre civile a poussé des milliers de jeunes à s'expatrier vers les États-Unis. Livrés à eux-mêmes, sans parents, ne pouvant même pas s'intégrer aux gangs locaux, ils vivaient de vols et de petits crimes. Ainsi, la Mara Salvatrucha est née. La brillante politique de répression nord-américaine pousse ces jeunes en prison où, armés de cellulaires et de BlackBerry, ils commanditent des crimes depuis les pénitenciers. Ils en sortent comme des héros, quand les États-Unis les expulsent dans leur pays d'origine. Lorsqu'ils reviennent au Salvador en véritables dieux vivants, ils transmettent aux bandes de rue l'amour du sang, de la violence gratuite et de la solidarité.

Contrairement aux membres de bien d'autres organisations criminelles, les *maras* ne se cachent pas. Ils s'affichent. Il suffit de se promener dans certains quartiers, en début de soirée, pour croiser les *mareros*, le visage parfois entièrement couvert de tatouages occultes que tous les membres savent très bien interpréter. Ils disent tout de leur propriétaire : son appartenance, ses crimes et ses allégeances. Quand le soleil de Santa Ana commence à s'engouffrer derrière la cathédrale, les gardes de sécurité des magasins vérifient l'état de leur fusil à pompe, et les habitants s'imposent un couvre-feu jusqu'au lendemain. La violence s'installe en reine sur la place principale, bien entendu baptisée Libertad.

De sa résidence située à quelques kilomètres de la ville, Margarita Gomez, que tous ici appellent la *Madrina* (la marraine), dirige un territoire bien plus large, grâce aux ramifications que possède son gang dans toute l'Amérique centrale. Elle a recruté ses hommes un à un depuis son retour d'une maison de redressement à Miami, et n'a jamais essuyé un seul refus. Personne ne dit non à la *Madrina*, ou c'est le dernier mot qu'il prononce, qu'il s'agisse de politiciens, de militaires ou de *mareros*. Elle les enrôle par la force et les retient par la peur, car tous savent qu'elle est capable de tout, à commencer par l'invraisemblable. Cette femme au visage nerveux et aux yeux presque fous, violée jadis par des guérilléros ivres, est d'une beauté presque effrayante. Tout dans son physique dégage de la violence, de son regard à sa démarche. Au début de la quarantaine, un visage ne peut plus mentir, et le sien, pourrait-on dire, rayonne de haine. Petite, portant toujours des vêtements assez décolletés pour laisser deviner une poitrine ferme et menue, quand elle sourit on dirait qu'elle va mordre. Quand elle se lève, on croit qu'elle va frapper. Mais quand elle s'endort, personne ne sait ses cauchemars. Cette femme sans émotions, sinon celle de la rage, règne en despote ordinaire dans la chaleur perpétuellement humide du Salvador.

Lorsque Pablo Sanchez fait son entrée dans le bureau de la *Madrina* avec son petit porte-documents, on dirait un comptable humilié par une récente faillite. La tête basse, la marche traînante, cet homme un peu fragile est pourtant à la tête d'une des plus grandes fortunes d'Amérique centrale. Grand stratège de la MS-13, à lui seul responsable de plus de meurtres qu'un dictateur africain, il a mis son intelligence au service entier de la *Madrina* depuis près de quinze ans. Non pas en raison d'un attachement sentimental à cette femme dont il connaît trop de secrets, mais parce qu'elle seule possède les capacités de mettre en œuvre le plan d'une vie : envahir le marché nord-américain de la drogue.

— Assieds-toi, Pablo, et sers-toi un verre.

Il observe, avec son faux air timide, cette femme sanguinaire, beaucoup moins intelligente que lui, qu'au fond de lui-même il méprise.

Depuis le jour où il a assisté, à la frontière du Mexique et des États-Unis, à l'exécution de sa mère et de sa sœur par des Rangers, il a décidé de se venger, à n'importe quel prix. Les forces de l'ordre sont devenues pour lui à la fois un ennemi et une obsession. Ce besoin de revanche a trouvé dans la violence irrationnelle de la *Madrina*, et dans la fascination qu'elle exerce sur son armée d'hommes tatoués, les moyens de sa réussite. Il est passé par toutes les mailles de l'organisation pour finir dans ce bureau, maintenant, à présenter à la *Madrina* sa stratégie finale.

— Je t'écoute. Nous avons quarante-cinq minutes.

Le plan de Pablo sera exposé en beaucoup moins de temps, car il sait que cette femme est incapable de saisir des idées complexes. Avec elle, il faut toujours paraître simpliste pour ne pas sembler intellectuel. Elle a les intellectuels en horreur.

— Si nous voulons conquérir le marché, il faut d'abord en éliminer les chefs.

— On les tuera.

— Je crois qu'il ne faut pas attirer l'attention de la police tout de suite. Il faudrait au contraire se servir d'elle…

— Qu'est-ce que tu veux dire ?

Cela commence déjà à être trop compliqué pour elle. La *Madrina* prend un coupe-papier doré entre ses doigts comme si elle songeait à attaquer. Chaque fois qu'une idée lui échappe, il faut qu'elle s'accroche à une chose, peut-être pour s'assurer que le monde physique l'emporte sur celui des idées.

— Nous avons des amis à Montréal. Ils peuvent s'arranger pour constituer des dossiers contre les trois chefs de gang les plus importants. Il suffirait ensuite de transmettre ce dossier à la police.

— Ensuite ?

— Quand les chefs seront partis, il y aura forcément des guerres internes. C'est un peu comme si vous décidiez d'arrêter les affaires…

Avec la *Madrina*, Pablo sait qu'il faut toujours utiliser des comparaisons personnelles pour soutenir son intention.

— Ces porcs se tueront tous entre eux.

— Exactement. C'est ce que les autres feront aussi. Pendant ce temps, nous en profiterons... D'abord, nous détruirons tous les réseaux de distribution. Ils sont déjà affaiblis, car nous les fournissons de moins en moins. Certains croient que la mafia en est la cause.

— Bande d'imbéciles ! C'est nous qui fournissons la mafia...

Elle repose le coupe-papier sur une table en bois noir.

— Quand tous les réseaux seront détruits, nous placerons nos hommes, continue Pablo. Les consommateurs, constatant que nous arrivons avec de très grosses quantités, nous mangeront dans la main. Ensuite...

— Qu'est-ce que tu veux dire, « nous mangeront dans la main » ? demande-t-elle en reprenant le coupe-papier doré.

— C'est une expression, Margarita. Ça veut dire qu'ils nous seront soumis.

— Alors, dis qu'ils nous seront soumis. Je n'ai pas le temps pour la littérature. Comment comptes-tu faire parvenir la marchandise à Montréal ?

C'est la deuxième partie de la stratégie de Pablo. Il l'explique de la façon la plus élémentaire, passant outre tous les détails d'exécution.

— Premièrement, la marchandise part du Venezuela, dans des avions de tourisme. Elle arrive en Haïti quelques heures plus tard.

— Quel jour ?

— Aujourd'hui, si vous êtes d'accord. L'aviation américaine ne peut survoler le sol vénézuélien. Il n'y a aucun risque.

— Et Haïti ?

Depuis des décennies, la Perle des Antilles, qu'il faudrait plutôt baptiser l'Étoile des Neiges, sert de plaque tournante à la distribution de cocaïne vers l'Amérique du Nord. Il faut dire que la désorganisation totale de ce pays est la conséquence parfaite d'un investissement du cartel des stupéfiants. Les narcotrafiquants ont dépensé des millions de dollars pour y créer des conditions d'exploitation idéales : une anarchie complète de la société, une pauvreté dont tout le monde feint de se plaindre, et une classe politique baignant dans la corruption, du municipal au national, chacun à sa profondeur, comme dans les piscines. En Haïti, les cargaisons de cocaïne atterrissent donc avec l'insouciance des libellules sur le lac Memphrémagog. Si la police est présente, c'est pour aider au déchargement, et l'on voit parfois un maire ordonner de bloquer les issues de la Nationale 9 pour faciliter les atterrissages.

— Il n'y a pas de problème avec Haïti, répond simplement Pablo.

— Comment pénètre-t-on à Montréal ? continue la *Madrina* qui veut arriver au but.

L'affaire est un peu plus complexe à expliquer.

— Les Irlandais contrôlent l'entrée du port de Montréal, et les syndicats, des débardeurs. La mafia ne nous a jamais aimés, vous le savez… Elle a peur de nous.

— Elle a raison, poursuit la *Madrina*. Continue.

— Ni les uns ni les autres ne pouvaient nous être d'aucune utilité, car ils ne sont pas libres. Nous avons trouvé beaucoup mieux. Et beaucoup moins cher.

— Je t'écoute, Papito. Va droit au but, nous n'avons pas de temps, le presse-t-elle en tapotant le coupe-papier contre sa main.

— Depuis quelque temps, les gouvernements canadien et québécois renvoient les membres de gangs haïtiens chez eux, comme le gouvernement américain a fait avec nous. Et ça donne le même résultat.

— Que veux-tu dire ?

— Il y a des avions entiers de gangsters montréalais qu'on débarque de force à Port-au-Prince, qui s'organisent et forment des jeunes. Ils ont tout ce qu'il nous faut. Ils connaissent Montréal. Ils ont besoin d'argent. Ils veulent se venger. C'est eux qui vont nous ouvrir le port de Montréal. Ils le connaissent par cœur. Ils savent où cacher la cargaison.

Ils connaissent le nom des rues, le code criminel et la météo.

— Qu'est-ce qu'ils veulent en échange, tes Haïtiens ?

— Rentrer au Canada. Ils embarqueront dans les conteneurs avec des familles qui veulent émigrer un peu plus rapidement.

— C'est tout ?

— Un peu d'argent, bien sûr. Rien, ou presque, je vous expliquerai. Ils ont leurs affaires sur place et ils ne savent pas exactement quelle quantité on fait entrer.

La *Madrina* se lève, comme prise d'une démangeaison. La conversation a assez duré. Elle a besoin d'action.

— Pas un ne doit survivre. Ils doivent mourir dès l'arrivée.

— On ne peut pas, répond immédiatement le *marero* d'un ton sec de stratège. Je ne vous ai exposé que la première partie du plan. Il y en a une deuxième.

— Dépêche-toi.

— Quand la marchandise arrivera au port, il faudra la stocker dans des endroits sûrs.

— Et… ?

— Nous avons besoin des Haïtiens. Parce qu'ils connaissent les Indiens mieux que nous. Nous cacherons la marchandise dans la réserve d'Akwesasne.

Elle est située à la fois au Canada et aux États-Unis. C'est notre porte d'entrée...

— Des Noirs, des Indiens, des Salvadoriens. On dirait une vengeance contre les Blancs...

— Oui, une revanche, murmure Pablo, d'un ton neutre, car il ne laisse jamais apparaître ses émotions. Les avions sont prêts, fait-il, sentant qu'il faut aboutir à une conclusion concrète. Ils attendent vos ordres. Le bateau partira dès la fin du chargement.

— Qu'il parte. Je m'occuperai de nettoyer le terrain, termine la *Madrina* en s'apprêtant à quitter la pièce. C'est là que je m'amuse.

Elle plante son coupe-papier dans un pot de fleurs et décroche son téléphone pour appeler ses avocats de la rue Sherbrooke.

Pablo a compris que le plus grand jour de sa vie approche à grands pas.

Au même moment, à trois mille huit cents kilomètres au nord, dans la chaleur tropicale de l'été montréalais, Angelo Syracusa avale une gorgée de Molson fraîche. Il ne boit qu'un verre de bière par an, et c'est toujours vers la même époque. Mais cette fois, il n'y a rien à fêter. Il dépose précautionneusement son verre loin des documents.

— On a de graves problèmes, commence-t-il en regardant tour à tour Cash et Junior. Voilà pourquoi je vous ai demandé de venir... J'ai eu des informations en provenance de New York.

Personne ne sait d'où proviennent les renseignements de don Syracusa, mais ils sont toujours sûrs. Les ramifications de la mafia, directes ou indirectes, couvrent le monde entier et profitent d'alliances secrètes scellées avec certains services de renseignements et avec la CIA au lendemain de la Seconde Guerre mondiale. Au nom de la lutte anticommuniste, diverses agences gouvernementales avaient alors en effet blanchi de grands trafiquants et profité de leurs réseaux.

Tous attendent que don Syracusa continue. Il passe la parole à Gianni, qui est le *consigliere* depuis toujours.

— Vous vous souvenez des *maras* de la MS-13 que nous avions éliminés en 2005 ? Ils reviennent à Montréal.

— À Montréal ? Tabarnak d'estie de câlisse ! J'peux pas craire que des estie d'truies comme...

— Un instant, coupe le *consigliere*. Nous ne sommes pas ici pour exprimer nos états d'âme.

— Nous avons des informations d'après lesquelles ils s'apprêteraient à envahir tout le marché, poursuit calmement don Syracusa. Avec des méthodes...

— ... nouvelles, continue le *consigliere*. Il y a même, à la tête de leur réseau... une femme.

— Une femelle ? s'exclame Cash.

— *Bro*, c'est simple, intervient Junior. On a juste à la supprimer. *Let's just get rid of that stupid bitch.*

— Les *maras* ne sont pas un gang, objecte le *consigliere*. C'est une armée qui a décidé de nous décimer. Elle contrôle déjà toute la production de cocaïne. Même si on réussissait à l'éliminer, il nous serait impossible de nous approvisionner en blanc[15] dans le futur... Ce n'est pas tout. Cette femme a déjà commencé à augmenter les prix.

— Cinquante-cinq mille le kilo, précise Angelo Syracusa.

— *Fuck !* s'écrie Junior. Cinquante-cinq mille le *ki*[16], c'est du vol, *straight up !* Avec mes *plugs* en Haïti, j'peux l'avoir à trois mille cinq.

— J'veux ben, tabarnak, mais t'as pas de porte ! Comment qu'on va faire pour le faire rentrer, simonac ? J'capote, moé, crisse !

— Haïti est en train de nous échapper aussi, poursuit Gianni.

— *Fuck this shit, man !* Haïti n'échappera jamais aux Haïtiens, s'insurge Junior.

— Soyez polis avec Gianni, s'il vous plaît, intervient Syracusa.

— Haïti a *toujours* échappé aux Haïtiens, monsieur Joseph, continue calmement Gianni. Haïti appartient

15 « Cocaïne »

16 « Kilo »

au trafic, c'est tout. Les présidents sont des *dealers*, les policiers sont des *dealers*, les douaniers sont des *dealers*... La femme de Jean-Claude Duvalier utilisait Air Haïti pour transporter de la cocaïne, et François Duvalier a même essayé de rançonner la mafia. Vous savez ce qu'on dit aussi d'Aristide et de tous les autres...

— Ben là, sacrament, y est où l'estie de problème? demande Cash.

— Tout ça, aujourd'hui, commence à appartenir au passé. Avec le séisme, l'attention internationale s'est braquée sur Haïti, et il y a une pression pour mettre de l'ordre. Ce n'est pas pour aujourd'hui, bien sûr. Mais demain, Haïti sera devenu un pays comme les autres, ou presque.

— Le retour de Bédé Doc? tente Junior, pour faire croire qu'il suit les actualités politiques de son pays.

— Bébé Doc n'est revenu que pour trouver de l'argent. Il a détourné huit cents millions de dollars, mais aujourd'hui, il ne peut plus se payer le loyer d'un deux et demie, répond le *consigliere* avec le dégoût qu'éprouvent les gestionnaires pour les dépensiers compulsifs. Je continue. Les *maras* ont également infiltré Haïti grâce à des appuis politiques importants. Ça ne durera sans doute pas, mais en attendant, il n'y a rien à faire.

— En résumé, conclut Angelo Syracusa, tout ce qui vient d'Amérique centrale et d'Amérique du Sud est entre les mains des *maras*, et la route d'Haïti est également bloquée. Nous sommes à sec.

— Nous sommes quoi ? demande Cash en se levant.

— Nous ne pouvons plus fournir, répond le *consigliere*. À moins évidemment de tripler nos prix. Nous pensons que les Sud-Américains nous font une guerre économique dans le but de s'emparer de la totalité du marché.

— Comment ils vont faire sans nous autres, sacrament ? s'insurge Cash. Y a que nous autres, icitte. Y seront ben obligés de transiger avec nous. Y connaissent personne.

— Cela ne changerait rien au problème, dit Gianni. Accepter de dépendre totalement de leur marchandise, c'est risquer l'étranglement. C'est un peu comme si vous étiez propriétaires de la chaîne Wal-Mart et qu'on vous proposait de travailler comme caissiers à la succursale de la rue Langelier. Ça vous tenterait, vous, les Soul Ryderz ?

— Pantoute… Moé, mon nom, c'est Cash, pis c'est moé qui collecte toute le *cash*.

— Exactement. Non, ce que nous pensons, c'est qu'il faut trouver d'autres approvisionnements.

— On peut peut-être fabriquer de la poudre dans les Laurentides, avance Junior.

Gianni ne répond même pas.

— Mais nous ne pouvons pas organiser ça tout de suite. Ces choses-là prennent du temps. En attendant, nous avons besoin de stock. Il nous en reste un peu, mais nous sommes obligés de diminuer les quantités que nous vous vendons. Nous voulions vous le dire de vive voix.

— Tabarnak, mes hommes vont capoter… De quoi on va vivre ?

— Nous pouvons vous procurer le soutien financier nécessaire, en attendant que les choses s'arrangent. Ce n'est pas un problème pour nous. L'essentiel est de garder le contact avec la clientèle.

— *Fuck, man… Sorry…* Comment est-ce que je peux garder le contact avec la clientèle si je n'ai plus rien à lui vendre ? Elle va se retourner contre nous.

— Junior, croyez bien que nous faisons tout ce qui est en notre pouvoir pour remédier à cette situation. Nous allons agir au plus vite. Peut-être que nous pourrons mettre la main sur des stocks destinés à l'Europe. Ne vous inquiétez pas.

CHAPITRE 19

Il est 18 h au clocher de Santa Ana. Et tous ses hommes sont là sauf un, devant elle, dans le plus grand silence, attendant ses ordres, comme les chacals autour d'une charogne qui attendent un signe de tête du mâle alpha. Mais la *Madrina* ne bouge pas. Ses yeux balaient lentement ces hommes de la Mara Salvatrucha. Les plus anciens, tatoués des pieds à la tête, et donc les plus respectés, ont tué plus de trente personnes chacun. Les miradors dessinés sur leurs poignets indiquent qu'ils ont connu la prison. Sur chacun de leurs doigts, qui ont frappé et étranglé, un signe marque leur fidélité au crime et, par-dessus tout, à la *Madrina*.

Installée devant un bureau impérial légèrement surélevé, la *Madrina* ne s'adresse à personne, sauf à Pablo. Elle ne parle jamais directement à ses sujets, qui la regardent passivement, fascinés par son charisme.

Son charme a trompé les plus durs, sa séduisante silhouette a piégé des hommes défiant la mort sur leur torse. Cette femme, dont le plus grand fantasme est de se baigner dans une piscine de sang au milieu de cadavres, est presque gracile.

Papito hoche la tête. Il s'avance vers les hommes de la Mara Salvatrucha avec son air de chien battu et dit d'une voix aiguë :

— Les avions partent aujourd'hui.

Tous savent ce que cette phrase signifie. C'est la plus grosse cargaison de cocaïne jamais envoyée en Amérique du Nord. Cinq mille tonnes de poudre. Le début de la plus grande invasion de la MS-13, dans un pays lointain dont la plupart ne connaissent que le nom. Un nom qui leur donne froid, et une ville exotique : le Canada, Montréal.

Ils s'y sont préparés depuis trois ans, sous les consignes secrètes de Pablo, et connaissent les noms des parrains de la mafia, des motards et des gangs haïtiens. La liste des *dealers* à éliminer. Des femmes à massacrer. Des enfants à torturer. Le XXIe siècle, leur a dit Pablo, sera celui de la MS-13 ou ne sera pas. Cette prophétie a sonné à leurs oreilles comme un hymne national, leur procurant courage et fierté.

— Cinq mille tonnes de cocaïne représentent une valeur de trois cents millions de dollars à la revente, précise Pablo. De quoi prendre le contrôle définitif de tous les réseaux de distribution, si l'on agit vite. De quoi envahir les États-Unis.

— *El brazo sobre la mesa*[17] !

Le cri de la *Madrina* a surpris tout le monde. Elle s'est dressée devant son bureau, en fixant la porte au fond de la salle. Miguel, tête basse, vient d'entrer. La voix de la *Madrina* le fige sur place. Pablo lui fait signe de s'avancer devant tous les hommes. Il s'exécute lentement.

Tous, maintenant, regardent par terre, connaissant l'issue de cette procédure sommaire.

Miguel prend une longue inspiration et ferme les yeux. Il allonge son bras sans dire un mot.

Une machette s'abat sur son épaule : le bras de Miguel tombe comme un morceau de bœuf à la boucherie. Le sang jaillit dans toutes les directions pendant qu'il pousse un cri de mort. Personne ne réagit dans la pièce. Seule la *Madrina* éclate de rire.

— La *Madrina* donne toujours deux chances, conclut Papito. C'est pour ça que tu as deux bras. La prochaine fois, tu arriveras à temps aux rendez-vous qu'elle te fixe. Nos réunions sont à 18 h. Pas à 18 h 05.

Margarita Gomez fixe avec un air méchant le type qu'on sort de la salle. Pablo conclut, en regardant tout le monde :

— Vous prenez l'avion pour Montréal avec vos hommes.

---

17 « Le bras sur la table ! »

CHAPITRE 20

AUJOURD'HUI

Une forte odeur de hareng salé agresse l'odorat de Marjorie dès qu'elle passe la porte de l'appartement de ses parents. Ce mets, que les Haïtiens accompagnent généralement de plantains bouillis au déjeuner, est malheureusement le préféré de son père. Marjorie suppose d'ailleurs, depuis qu'elle est pubère, que sa mère le sert à son père les lendemains de veille, lorsque le devoir conjugal a été accompli. Cela ne rend du reste cette odeur que plus nauséabonde à ses narines.

— *Oh my God*, c'est épouvantable, ouvrez les fenêtres, ça presse ! crie-t-elle avant de saluer quiconque, comme à son habitude.

— Joujou chérie, comment vas-tu ? lui demande son père, heureux de voir sa fille. Comment va Junior ?

— Papy, comment tu fais pour supporter cette odeur ? lance Marjorie en ouvrant les fenêtres.

— Mais cocotte, c'est tellement bon ! répond Célestin en riant, car cette remarque lui rappelle l'enfance de sa fille.

— Junior va mal... Je sors de chez son avocat, le soi-disant meilleur criminaliste du Québec... Les nouvelles ne sont pas bonnes.

— Qu'est-ce qu'il dit ?

— Des niaiseries d'avocat. Où est mamy ?

Célestin Cadet est un homme fier, comme tous les Haïtiens, et travaillant, comme Marjorie. Il est arrivé au Québec en provenance de Cap-Haïtien trente-cinq ans plus tôt, avec son épouse enceinte et cent dollars en poche. Rapidement, il a décroché un travail d'entretien ménager à l'hôpital Saint-Alphonse, où il a peu à peu grimpé dans la hiérarchie. Son épouse Marie-Rose, excellente cuisinière comme la majorité des femmes provenant de Cap-Haïtien, travaillait en tant que cuisinière au petit casse-croûte haïtien, Chez Mamy Gislaine, dans le quartier Saint-Michel. Une Haïtienne apprend très jeune qu'on peut garder son mari de deux façons : par le ventre et par l'entrecuisse. Sa cuisine a rapidement acquis une petite réputation dans le quartier, et son mari n'a jamais pensé à une autre femme.

Marie-Rose crie de la cuisine :

— Joujou cocotte, quelle belle surprise ce matin ! Tu veux manger ?

— Non merci, mamy, tu sais très bien que je déteste le hareng !

— Je peux te préparer du spaghetti avec des saucisses, du ketchup et des oignons, si tu préfères.

— *Oh my God*, il est 10 h du matin, trop tôt pour manger des pâtes, *hello* ! Ça va aller, merci.

— Assieds-toi, doudou, tu me donnes le vertige, lui dit gentiment son père.

Les imposants sofas recouverts de plastique trônent à la même place depuis trente-deux ans. Marjorie a essayé en vain de les vendre, de les échanger, de les donner, bref, de s'en débarrasser d'une manière quelconque, mais rien n'y a fait : Marie-Rose adore ses meubles de salon en velours vieux rose de style Louis XV, qu'elle a achetés pour une fortune dans un magasin italien où on l'a sans doute roulée en abusant de sa naïveté de jeune immigrante. Pour elle, toutefois, ces sièges constituent au contraire une sorte de symbole de son intégration à la société québécoise. S'ils pouvaient parler, ils auraient dit, comme La Fayette : « Nous sommes ici par la volonté du peuple et n'en sortirons que par la force des baïonnettes. » Achetés avec l'épargne des premiers salaires, ces sofas représentent en fait des médailles que le couple s'est décernées en attendant qu'un jour la société des madames

Tremblay-de-Saint-Hippolyte reconnaisse la dureté de leur vie. Même le plastique qui recouvre l'étoffe semble sacré aux yeux du couple, et Marie-Rose l'époussette minutieusement comme un écrin.

— Papi, comment veux-tu que je m'assoie avec toutes les bébelles qu'il y a ici ? demande-t-elle en déplaçant des circulaires du Metro posées sur une chaise.

L'appartement abrite des figurines de la sainte Vierge du Dollarama, des peintures de coucher de soleil napolitain, un vieux tourne-disque avec des albums de Claude Barzotti, des photos scolaires encadrées et des dizaines de ces bibelots qu'accumulent les gens qui ont connu la grande pauvreté.

— Tu as des nouvelles de ton mari ? l'interrompt timidement Marie-Rose en débarrassant la table.

— *Yep*...

— Comment va-t-il ?

— Pas bien, c'est l'enfer ! Il capote et s'ennuie beaucoup de moi et des enfants.

— Je prie pour lui, cocotte. Chaque soir, je demande au Seigneur de le délivrer.

— C'est pas des prières qu'il me faut...

— *Mézanmi* Joujou, fais confiance au Tout-Puissant, Dieu est bon ! Alléluia...

Bien des gens dans la pauvreté pensent que Dieu est bon, alors que les riches le trouvent souvent injuste. Pour les parents de Marjorie, la foi catholique a permis l'espérance d'une meilleure vie et d'une récompense après la mort. C'est une croyance sincère, profonde, permettant de dépasser les difficultés du quotidien et qui constitue en outre un rempart contre le vaudou, dont le seul nom est interdit à la maison.

— Avez-vous vu l'imbécile heureux ? J'ai rendez-vous avec lui ici.

— Qui ça, Frantzie ? *Pa di sa, Majoujou, son bon nèg*[18] et c'est aussi le mari de ta sœur, dit Célestin.

Frantz entre.

— Wow, mamy, ça sent bon !

— Je te prépare une assiette ! répond fièrement Marie-Rose.

— Bon, laisse faire la bouffe pour l'instant, intervient Marjorie. Viens avec moi sur le balcon...

Depuis l'arrestation de Junior, Marjorie évite toute conversation incriminante entre quatre murs, au cas où il y aurait des micros installés par la police. Il y a eu beaucoup de filatures et d'écoutes électroniques lors de l'enquête qui servira durant le procès, et Marjorie ne veut pas prendre de risques.

— Que disent les gars ?

— Yo, Marjo, ils sont perdus... Ils se demandent ce qu'il faut faire. Il n'y a quasiment plus de *dope*. Il paraît que le parrain des Italiens est en dedans. La situation est *fucked up* !

18 « Ne dis pas ça, Majoujou, c'est une bonne personne. »

— Cash y est aussi… Il faut prendre les choses en main. Si personne ne fait rien, nous sommes finis.

— Mais comment veux-tu qu'on fasse ? On ne sait même pas à qui il faut s'adresser.

— *Vous* ne savez pas. Moi, je sais. Je vais le bouger, mon beau cul d'Haïtienne. Vous êtes tous des incapables. Moi, je laisse pas aller mon *bread*[19] !

— Tu vas aller trouver qui, Marjo ? demande timidement Frantz, en surveillant l'arrivée du hareng du coin de l'œil.

— Toi, va bouffer ta saloperie. Et laisse-moi travailler.

Il ne faut pas longtemps à Marjorie pour faire le tour de la situation. En fondant ses affaires sur celles de Junior, elle a créé une véritable dépendance envers son fournisseur. Si les profits de Junior se tarissent, ce sera l'effet domino, la réaction en chaîne qu'elle a longuement étudiée à l'université.

Sur le boulevard Saint-Laurent, tandis qu'elle se dirige vers la Petite Italie, sa voiture est immobilisée dans la circulation à l'angle de la rue Rachel. Certes, le gang pourra se remettre de la disparition de son chef. Mais le chef ne pourra pas se passer du gang. Sa femme non plus. Sa famille encore moins. Marjorie, qui a vu ses parents travailler dur pour la soutenir, les aide aujourd'hui financièrement. Et elle

---

19 « Argent »

met de l'argent de côté pour préparer leur retraite, car elle ne supporterait pas de les voir finir dans une résidence Soleil, eux qui ont changé son destin en émigrant au Canada. Que serait-elle devenue si elle avait grandi en Haïti ? Elle y pense souvent en regardant ses parents. Elle n'ose même pas imaginer ce que vivraient Gucci et Bijou si elles y étaient nées. Au fond de cette rage, de cette voracité qu'elle a pour l'argent et la réussite sociale, c'est cette pensée qui la hante.

À la hauteur de Saint-Joseph, sa décision est prise. Elle possède assez de réserves pour faire face aux besoins de sa famille, et trop d'ambition pour arrêter l'expansion de son entreprise. Puisqu'elle connaît tout des affaires de Junior, elle prendra sa succession en attendant qu'on le libère. Et pour s'imposer à la tête des Haïtiens, il suffit d'une chose : revenir avec de la *dope*.

Le VUS entre maintenant dans la Petite Italie.

CHAPITRE 21

Pour la première fois depuis son ouverture, le Lorena est vide, ou presque. En un mois, l'achalandage a diminué de manière dramatique. La raison paraît évidente pour tout le monde : la perquisition de la brigade antigang, un vendredi matin, en présence de nombreux journalistes, comme par hasard.

Certes, les clients du Lorena aiment depuis toujours à chuchoter, au-dessus des gnocchis, des rumeurs concernant les activités mafieuses du propriétaire. Cela ajoute même un piment romantique au plat du jour. Maintenant, soit ils craignent une scène de mitraillade comme dans le film *Le Parrain*, soit ils préfèrent éviter toute question de la police. Quoi qu'il en soit, ils ont déserté les lieux. Les serveurs, qui n'osent poser aucune question à Antonia, attendent comme des plantes sans soleil que le nuage passe.

Antonia, dans son bureau, fait face à son fils cadet, Cesare.

Les cheveux gominés, le teint pâle pour un Sicilien, sa maigreur effraie constamment sa mère et sert aussi à la manipuler. On dirait presque un garçon de bonne famille, dans la vingtaine, s'il n'avait pas constamment ce regard fuyant et inquiet.

— La vie est chère, *ma*…

— De quoi tu parles ? Tu es logé, nourri, blanchi, je paie tes voitures et je te donne deux mille dollars d'argent de poche par semaine ! Tu prends de la drogue ou quoi ?

Antonia n'a pas vraiment envie de connaître la réponse. Elle sent pourtant depuis plusieurs mois que l'attitude de Cesare a changé.

— Bien sûr que non ! Je voulais aller m'acheter quelques vêtements, c'est tout.

Il prend un air faussement vexé par l'absence de confiance de sa mère, comme s'il ne méritait pas une pareille insulte.

— Des vêtements ? Tu as deux garde-robes remplies à craquer !

— *Ma*…

— Non, Cesare ! J'ai assez d'ennuis pour aujourd'hui.

Elle quitte le bureau en claquant la porte. Cesare pose des problèmes depuis toujours, et elle a souvent craint pour la santé de son mari, que cela ronge.

Mais c'est le dernier, l'enfant qu'il a fallu protéger des autres, et dont elle a accepté tous les caprices. À vingt-deux ans, son curriculum représente une succession d'échecs scolaires couronnée par un décrochage supposément causé par des difficultés d'attention, comme en évoquent tous les jeunes qui veulent qu'on les regarde. Cesare professe la philosophie de l'instant présent pour s'interdire de regretter la veille et éviter d'avoir à se préoccuper de l'avenir.

Il se considère comme un innocent parce qu'il n'a jamais participé aux tractations du clan. Ses oncles, son père, sa famille entière ont tué, torturé et condamné à mort des centaines de milliers de toxicomanes à travers l'Amérique du Nord. Cesare, lui, estime n'avoir aucun rapport avec la criminalité familiale. Mais s'il n'a jamais même écrasé une mouche, c'est bien plus par paresse que par vertu. Il pense peut-être que son prénom lui a octroyé le droit de régner sans gouverner, de manger sans travailler et de juger sans savoir. Toujours entraîné par la facilité, comme la boue par le courant, il est passé consciencieusement de l'alcool à la drogue et incarne sans le savoir toutes les victimes du clan qu'il prétend récuser.

Dès que sa mère quitte le bureau, Cesare s'empresse d'ouvrir tous les tiroirs à la recherche d'argent, mais ne trouve rien. Il aperçoit alors le sac à main griffé de sa mère, caché près d'un pot de fleurs. Il y trouve une enveloppe garnie de plusieurs billets de cent dollars qu'il s'empresse de dissimuler dans sa poche.

— Tu vas où ? lui demande Antonia en le voyant sortir.

— Je vais aller glander un peu…

— Tu rentres quand ?

— Je sais pas trop… Je ne peux pas aller très loin, j'ai pas un sou.

— Tiens, voilà cinq cents. C'est la dernière fois, tu m'entends ?

— *Si, ma, grazie*. Je t'aime, bonne journée !

— *Ciao !* Sois prudent sur la route.

En sortant du restaurant, Cesare aperçoit le VUS BMW de Marjorie qui arrive à toute vitesse dans le stationnement.

— Wow, *cool*, madame… Y a des gens sur la Terre !

Marjorie s'engouffre dans le restaurant et se présente immédiatement à Antonia.

— Je suis la femme de Junior Joseph, dit-elle en tendant la main. Nos maris font des affaires ensemble et j'ai à vous parler.

Antonia, ignorant la main de Marjorie, lui répond sèchement.

— Je ne connais rien aux affaires de mon mari. Je ne sais pas de quoi vous voulez parler.

Antonia, peu habituée aux femmes de ce genre, est impressionnée par la prestance de Marjorie.

Élevée dans un milieu uniquement italien, elle doit reconnaître que, malgré la couleur de sa peau, cette femme est magnifique. Elle devine avec un peu de nostalgie son corps affiné, ses fesses certainement dures, et son ventre plat.

— Nous avons une amie commune, continue Marjorie. Je lui ai demandé de se joindre à nous... Frédérique... Elle va arriver d'un instant à l'autre.

— Ah ! vous connaissez Frédérique...

Le stratagème fonctionne. Antonia se souvient que Frédérique lui a souvent parlé d'une Marjorie qui semblait être sa confidente. Mais jamais elle n'aurait imaginé qu'il s'agissait de l'épouse d'un chef de gang. Avec Frédérique à ses côtés, Antonia est obligée de recevoir Marjorie. Mais Frédérique est en retard, bien sûr.

— Venez, nous serons plus tranquilles dans mon bureau.

Antonia referme la porte du bureau derrière elle.

Intoxiquée par ses médicaments, Frédérique, dans le taxi, tente de garder les yeux ouverts lorsque le téléphone la réveille.

— Bonjour, madame. Acceptez-vous l'appel à frais virés de monsieur François Lavallée ?

— Oui...

— Salut, minou. Câlisse que j'chu content de t'parler ! dit François, enthousiaste.

— Frank…

— Coudon, j't'ai appelée plein de fois pis tu réponds jamais ! En plus, tu viens pas me voir, j'ai mis ton nom sur la liste !

— Je suis très occupée ces jours-ci…

— Faut que je te parle de quoi…

— Ça veut rien dire, ta phrase, murmure Frédérique.

— Heille, on s'en fout-tu, d'la façon que j'te parle ? As-tu vu qu'y ont arrêté Junior ? Faut qu'tu viennes en crisse. As-tu vu Larry ?

— Non… Pourquoi tu me parles de Larry ?

— Si tu veux de quoi, t'as rien qu'à checker Larry, il s'occupe de toute.

— OK. C'est tout ?

Frédérique ferme son téléphone en poussant un soupir de soulagement. Le taxi stationne devant le Lorena. La jeune femme, épuisée, a de la difficulté à descendre.

— Attendez, dit le chauffeur, j'vais vous aider, ma chère dame.

Il ouvre la porte et tend sa main à Frédérique.

— J'vous reconnais ! Depuis tantôt que j'vous regarde, il me semblait ben que votre visage me disait quelque chose…

— Peut-être, je prends souvent le taxi.

— Non, non, insiste le chauffeur, j'vous ai vue à la tévé l'autre jour... Êtes-vous la conjointe de... Cash Lavallée ?

— Non... C'est qui ? demande Frédérique, surprise et mal à l'aise.

— Pourtant, j'ai une très bonne mémoire...

— Ce n'est pas moi...

— Tant mieux d'abord ! Cash Lavallée est un criminel notoire qui s'est fait arrêter dernièrement. Des estie de bandits pas corrects ! Asteure qu'y sont en prison, la société va pouvoir avoir la paix. On devrait tous les tuer, ces bâtards-là, c'est pas du monde, c'est des *dealers* de drogue qui contaminent notre jeunesse, des tueurs sans pitié !

— Vous avez raison... Combien j'vous dois pour la course ?

— Vingt-six dollars, ma chère dame.

— Tenez, monsieur, en voici quarante. Bonne journée.

— Trop aimable, madame, merci !

Frédérique sourit au chauffeur qui ne peut s'empêcher d'ajouter :

— En tout cas, c'est incroyable comment vous ressemblez à sa blonde, on l'a vue dans les journaux !

— La blonde... de qui ?

— La blonde du bandit ! répond le chauffeur en souriant. Bonne journée !

Frédérique monte péniblement les marches du Lorena. Luigi, qu'elle reconnaît à peine, l'accueille dans le restaurant vide et la conduit au bureau.

— *My God*, lui dit Marjorie lorsqu'elle entre dans la pièce, t'as pas l'air bien !

— Non... pas trop.

— Je vais te commander un café, lance Antonia en se dirigeant vers la salle. Luigi ! Apporte-nous trois allongés.

Frédérique s'affale sur un fauteuil en cuir, sans prendre la peine de se débarrasser de son manteau. Elle ne comprend pas pourquoi elle est là.

— Tes enfants, ça va ? demande-t-elle machinalement.

— Ça dépend des jours... Gucci pleure beaucoup, Bijou parle peu, tu la connais.

— Et toi, Marjo ?

— Junior me manque terriblement et je m'en fais beaucoup pour lui... Je ne sais plus quel mensonge raconter aux filles : papa est en vacances, papa suit des cours à l'Université d'Ottawa, papa est parti en Haïti... C'est n'importe quoi !

— Pourquoi ne pas leur dire la vérité, tout simplement ?

— *My God*, Fred, t'es folle ! répond brusquement Marjorie, que cette question a subitement revigorée. Jamais je ne ferais ça, j'adore mes filles et je dois les protéger !

Frédérique baisse la tête sans dire un mot.

— C'est un peu pour ça que je t'ai demandé de venir, Frédérique. Pour protéger mes enfants... Il faut que tu m'appuies auprès d'Antonia.

— Mais qu'est-ce que tu racontes ?

— Voilà les cafés, annonce Antonia en revenant.

Marjorie, qui ne boit jamais de café, feint de tremper les lèvres dans la tasse. Antonia remarque que son rouge à lèvres doit venir de chez Chanel.

— Comme je vous le disais, commence-t-elle, je dois reprendre les affaires de mon mari pendant son absence. Monsieur Syracusa se trouvant également en...

— Nous avons un fils, coupe immédiatement Antonia. Il va reprendre en main le... le restaurant. Chez nous, ce sont les hommes qui s'occupent de ça. Les femmes restent à l'intérieur.

— Ah bon ! Tu abandonnes le Lorena ? demande Frédérique, qui n'est au courant de rien au sujet des Syracusa.

— Une partie seulement, précise Antonia, gênée, en regardant Marjorie avec un air excédé.

— Je ne suis pas sûre que monsieur Syracusa apprécierait que nous fassions affaire avec d'autres fournisseurs, continue Marjorie. Mais nous serons obligés de nous adresser ailleurs si ça ne fournit plus... Je suis ici pour savoir combien il vous reste de... de gnocchis. Je dois le savoir tout de suite.

— Des gnocchis ? Tu te lances dans les gnocchis maintenant ? interroge Frédérique en allumant sa cigarette à l'envers. Tu ne m'as rien dit ! Oups ! Ma cigarette !

Pour la première fois de son existence, Antonia voit de près une femme s'exprimer directement, sans aucun faux-semblant, au sujet des affaires criminelles. Elle a toujours dû prétendre ne rien connaître au *business* du clan Syracusa, mais une femme qui vit quotidiennement avec un parrain de l'importance de son mari finit toujours par tout savoir. Et elle sait tout, comme cette Marjorie, devant elle, avec son rouge à lèvres Chanel, connaît tout des affaires de sa bande d'Haïtiens.

— Je ne sais pas grand-chose... Je ne crois pas d'ailleurs que ce soit l'endroit idéal pour parler de tout ça.

— Vous êtes folles ou quoi ? Depuis quand est-ce qu'on ne peut pas parler de bouffe dans un restaurant ? Je ne comprends rien, mais alors rien de rien, à ce que vous racontez toutes les deux. On dirait que vous êtes saoules, c'est hi-la-rant !

— Frédérique, intervient Marjorie comme pour la ramener sur terre, est-ce que tu vois souvent Cash ?

— Il m'appelle tout le temps. Il m'appelle comme il respire. Il est trop, ce mec...

— Qu'est-ce qu'ils comptent faire, les Soul Ryderz ?

— Mais je n'en sais rien, moi, de ce qu'ils comptent faire tes soul machins. Je m'en fous complètement, d'ailleurs.

Puis, Marjorie dit à Antonia :

— Ils vont aussi aller voir ailleurs si vous ne faites rien. Je sais que vous savez. Dites-moi combien il en reste.

— Je... je ne suis pas sûre, chuchote Antonia, elle-même étonnée de répondre.

— Avec qui dois-je faire mes *deals* ?

— Mon fils Angelo junior va...

— Écoutez, madame Syracusa, dit Marjorie en se levant, soyons franches toutes les deux. Vous savez très bien qu'un homme de chez vous n'acceptera jamais de dealer avec une femme... et une Noire en plus. Ils sont tous persuadés que les femmes ne sont bonnes qu'à faire la cuisine, vous les connaissez aussi bien que moi...

Marjorie sent qu'Antonia est en train de vaciller.

— J'ai besoin que vous posiez la question à votre fils, et que vous me donniez sa réponse. Quand est-ce que vous le voyez ?

— Mes enfants viennent souper ce soir...

— J'attends votre réponse demain. Dites-moi combien il reste de stock, je vous en supplie. Il y va de la survie de ma famille.

Cette dernière précision touche l'Italienne droit au cœur. Elle sent une mère inquiète dans la détermination de l'Haïtienne. Elle observe ensuite Frédérique. Celle-ci, qui ne comprend pas un mot de la discussion, lève le pouce en signe d'approbation. Elle peut faire confiance à Marjorie.

Pour Antonia, le mariage n'est pas seulement une institution religieuse et sacrée. Dans sa conception, un couple forme un être unique, nouveau, presque physique. Ce que fait une partie du corps a immédiatement un effet sur une autre : Antonia et son mari vivent pour ainsi dire dans le même organisme, comme le foie et les reins. C'est pourquoi, depuis l'incarcération d'Angelo, elle se sent amputée. Des psychologues n'hésiteraient pas à diagnostiquer une dépendance affective, mais Antonia, qui n'en a jamais consulté aucun, leur rirait au nez. Pour elle, cela s'appelle simplement l'amour.

En regardant partir Marjorie, elle s'étonne cependant de ressentir une sensation nouvelle en elle. Non, elle n'aime pas moins Angelo. Une telle chose est impossible. Mais la place qu'elle occupe à ses côtés vient de changer. Elle réalise soudain que son rôle maternel n'a plus aucun sens, vu l'âge de ses enfants ; que sa fonction d'épouse, en raison de l'absence de son mari, tourne à vide. Marjorie se démène comme un chien qui nage à contre-courant. Frédérique, d'après ce qu'elle vient de voir, se laisse aller à la dérive. Mais elle, que fait-elle ?

Elle se dirige vers la cuisine pour préparer les gnocchis au mascarpone et jambon de Parme, le plat préféré de son fils aîné. Tout a déjà été disposé, même la marmite d'eau qu'il suffit de mettre sur le feu avant d'y plonger les gnocchis. Sur le comptoir, le chef a déposé, dans trois petites assiettes recouvertes de film plastique, le parmesan, les gnocchis, et les cinq cuillers à soupe de mascarpone. Antonia ouvre la porte du réfrigérateur pour y prendre le jambon de Parme puis, soudain, s'arrête. Elle n'a pas envie de cuisiner. Quelque chose ne fonctionne plus dans tous ces gestes machinaux, répétés depuis des décennies. Le rôle d'une épouse et d'une mère se limite-t-il à veiller à ce qu'un réfrigérateur soit toujours bien rempli ? Elle referme la porte. Elle se sent vieille, tout à coup. Que laissera-t-elle comme trace dans la vie de ceux qu'elle a tellement soignés ? Rien. Presque rien. Un goût de gnocchis, une recette de sauce... Elle revoit sa mère, toujours aux fourneaux également, dans son tablier bleu. Quand les amis de son mari arrivaient pour parler affaires, elle s'éloignait aussitôt, en prononçant toujours la même phrase :

— *Ad ognuno il suo mestiere*[20].

Antonia a simplement imité sa mère. Elle est devenue restauratrice et s'est dévouée à des

20 « À chacun son métier. »

hommes dont plus un seul n'est présent dans la maison aujourd'hui. Le restaurant vide ressemble à sa vie. Antonia s'assied devant les tables dressées. Les enfants vont bientôt arriver. Elle enfourne rapidement des *pasticcios bolognese* préparés la veille.

— Bonsoir, *ma* !

C'est son fils aîné qui vient d'entrer, un peu en avance comme toujours. Elle remarque ses gardes du corps garés devant le restaurant.

Antonia l'enlace en l'embrassant tendrement. Angelo sent pourtant chez elle une sorte de réticence.

— Tu vas bien ? Qu'est-ce qu'on mange ce soir ?

Les enfants du couple Syracusa forment une partie essentielle de cet être commun multiforme. Angelo junior en est le deuxième cerveau, après son mari, bien sûr. Le fait de lui avoir attribué le même prénom a en quelque sorte tracé son chemin. C'est un homme de principe, discipliné comme un peuplier, marié à Sabrina, elle-même fille de mafieux, qui lui a donné deux enfants. Antonia réalise soudain qu'elle s'était donné pour fonction, dans cet organisme géant, d'assurer les battements de cœur et la nourriture de l'estomac, comme si elle n'avait jamais accès à la partie pensante de leur corps. Elle éprouve pour son fils aîné autant d'amour que pour ses frères, mais peut-être plus de respect.

— Voilà Francesco qui arrive… Il ne manque plus que Cesare…

Francesco, le deuxième, par un caprice invraisemblable du destin ou l'intervention d'un mauvais esprit, n'a aucune affinité avec le monde interlope. C'est au contraire un pharmacien méticuleux à l'écriture fine, qui a peut-être choisi ce métier par goût de poser des étiquettes dans des endroits tranquilles. Son père l'a certes aidé à acheter différentes franchises pharmaceutiques, mais Francesco a décidé, à l'aide de ces étiquettes intérieures qu'il colle sur la réalité, que cet argent provenait de la vente de terrains familiaux en Sicile. Cet homme, qui n'oserait jamais avouer sa honte d'être Sicilien, vit tranquillement sur la Rive-Sud avec sa fiancée, Julie, une Québécoise également pharmacienne, qui lui demande de parler italien quand ils font l'amour, ce qu'ils ne font pas souvent.

— *Ma*, je t'ai apporté quelque chose pour t'aider à dormir, dit Francesco en l'embrassant. Cesare m'a dit que tu ne dors pas très bien…

— Comment Cesare pourrait-il savoir quoi que ce soit à propos de moi ? Je ne le vois presque pas, répond Antonia en riant. Tu sais qu'il vit sa vie, comme il dit. Venez, on ne va pas attendre, ça risque d'être trop long.

— Il vit peut-être sa vie, mais il ne l'assume pas, *ma*, continue Angelo d'un ton irrité. Sans ton argent, il serait à la rue. Et je ne suis pas sûr que tu lui rendes vraiment service en payant tout à sa place.

— De quel droit me parles-tu sur ce ton, Angelo ? Je suis ta mère !

— *Mi dispiace, ma*[21]...

Les deux frères n'ont jamais osé relater à leur mère les situations déplorables dont ils ont dû sortir Cesare à maintes reprises. Francesco a souvent constaté la disparition de certains médicaments de la pharmacie après les visites de son frère, et Angelo a été tenu minutieusement informé de ses ennuis avec la police. Les efforts de tous les hommes de la famille, y compris ceux du père, n'ont jamais discipliné Cesare. Au contraire même, car plus les hommes se sont montrés sévères, plus il a obtenu la protection de sa mère. Le sujet « Cesare », dans la famille, est presque devenu tabou, et toute conversation qui le concerne finit systématiquement dans les tensions.

Antonia se signe de la croix et commence à servir le repas. Les jeunes hommes observent la place vide du paternel.

— J'ai eu des nouvelles de papa ce matin... J'ai vu Gianni.

— Comment va-t-il ? demande Francesco.

— Il a l'air d'aller aussi bien qu'on peut dans ces circonstances.

21 « Je suis désolé, maman. »

— J'ai eu de la visite, aujourd'hui, interrompt Antonia. Une certaine Marjorie Cadet, tu la connais, Angelo ?

Angelo, qui allait se servir du parmesan, le repose sur la table.

— Qu'est venue faire cette femme ici ?

— Poser des questions… Passe-moi le fromage s'il te plaît.

Le ton d'Antonia a changé. Elle paraît presque autoritaire.

— Cette négresse n'a pas sa place ici, lance Angelo. Et encore moins auprès de toi.

— Parce que je suis une femme, c'est ça que tu veux dire ? Je peux recevoir qui je veux dans ma maison, Angelo. Sers du vin à ton frère, son verre est vide.

Antonia a prononcé cette phrase comme pour s'encourager à continuer. Personne ne conteste son autorité dans le domaine de la table. Elle poursuit sur la même lancée.

— Elle m'a dit que les affaires sont en péril pour les Haïtiens.

— *Ma !* Papa n'accepterait jamais que tu te mêles de tout ça.

— De quoi vous parlez ? demande Francesco. Vous savez que je n'aime pas entendre parler de ce genre de choses.

— Ça te concerne de toute manière, répond Antonia d'un ton sec, profitant de cette remarque pour empêcher Angelo de répliquer. Comment crois-tu que ton père t'a acheté tes six pharmacies ? En vendant des gnocchis à la communauté italienne ?

— *Ma !* s'exclame de nouveau Angelo. Qu'est-ce qui te prend ? C'est moi qui m'occupe de tout ça maintenant.

— J'ai le droit de savoir, poursuit la mère. Je ne suis pas juste bonne à vous nourrir. Ne croyez-vous pas que j'ai observé votre père pendant des années ? Que je connais certaines choses ? Est-ce que vous me prenez tous pour une femme stupide ? J'ai passé ma vie à vous nourrir et à m'inquiéter pour vous... Mais qui s'est occupé de mes inquiétudes ? Et que vais-je devenir si votre père ne revient pas ? La femme de Junior Joseph m'a tout raconté. La situation est extrêmement grave, vous le savez très bien.

Elle s'est levée. Le silence envahit la pièce. Par respect pour leur mère, les deux fils courbent la tête vers leur assiette. Antonia radoucit le ton.

— Je n'ai qu'une seule question à te poser, Angelo. Vas-tu, oui ou non, accepter de faire affaire avec Marjorie Cadet ?

Le fils aîné regarde longuement celle qui l'a bercé durant toute son enfance. Il comprend son inquiétude, qui ressemble un peu à la sienne. Mais elle a changé. Il ne la reconnaît plus. Est-ce qu'elle va bien ? Il voudrait en parler à son frère. Pourquoi ne comprend-elle pas qu'elle est en sécurité avec lui à la tête du clan, maintenant ?

— Angelo, réponds-moi !

Il est calme, déterminé. Une des premières leçons que lui a données Gianni concernait la maîtrise de soi. À son tour, il se lève.

— Le clan Syracusa ne fera jamais affaire avec une négresse. Il n'acceptera jamais une femme à sa tête. Je te souhaite une bonne nuit.

Sans ajouter un mot, Angelo prend son manteau et se dirige vers la sortie. Antonia, immobile, devant la fenêtre, ne s'est même pas retournée pour le regarder partir.

Ce qui se produit ensuite demeurera l'événement le plus dramatique de toute l'histoire des Syracusa. Angelo junior, qui vient de mettre son pardessus, descend tranquillement les marches du Lorena. Il est habillé chaudement, avec cette élégance discrète qui le caractérise. Il traverse la rue pour rejoindre sa voiture. Les gardes du corps lui ouvrent la portière, quand il reçoit une balle entre les sourcils.

La Salvatrucha vient de passer à l'acte.

CHAPITRE 22

Dans la résidence de la famille Joseph, c'est l'agitation matinale avant le départ pour l'école. Marjorie ne se croit en vie que lorsqu'elle bouge, et il lui faut sa dose quotidienne d'ordres et d'énervements. C'est une sorte de mise en forme pour la journée.

— Allez, les filles, dépêchez-vous, on est en retard ce matin !

— On arrive, maman !

Les filles ne sont pas en retard, elles le savent, et ne prêtent plus attention à cette routine du matin. Le téléphone portable de Marjorie, qui n'a pas le temps de répondre, sonne sans arrêt.

La tradition consiste aussi à écouter la musique à fond sur le chemin de l'école. Il y a toujours un CD favori, qui dure une semaine ou deux, que Marjorie force ses filles à écouter pour se mettre en marche, une sorte de médicament contre la relaxation.

— Allez, les filles ! « Ça fait rire les oiseaux, ça fait chanter les abeilles »…

Marjorie veut à tout prix sauvegarder les apparences et maintenir ses petites loin de toute tristesse. Dans le VUS BMW couleur argent, l'un des bijoux les plus chers de Marjorie, les enfants chantent à tue-tête et tapent dans leurs mains. Marjorie est une mère profondément dévouée à l'éducation et à l'amour de ses enfants. C'est par ses filles qu'elle a en réalité découvert l'amour. Au fond, elle n'a jamais vraiment cru à celui des hommes, qui paraissait toujours intéressé. À l'exception de son père, les hommes haïtiens lui ont toujours semblé méprisables, infidèles et irresponsables.

— Plus fort, maman ! Encore plus fort !

Marjorie met le volume à fond, quand sa voiture arrive dans la rue Stuart devant le collège Guy-Alexis.

— Bonne journée, mes amours, maman a une grosse journée aujourd'hui. Mamy viendra vous chercher après l'école.

— D'accord, maman. Je t'aime, dit Gucci.

— Je t'aime aussi, maman ! dit Bijou.

— Je vous adore, mes amours, plus que tout au monde !

Elle les regarde courir dans leurs petites jupes écossaises, toutes à la joie de retrouver leurs amies de classe, puis démarre la voiture. Elle a toujours l'impression que sa journée de travail commence à ce moment précis, lorsque les filles ont passé le coin de la cour de récréation et qu'elle n'entend plus leurs cris. Comme bien des parents, ses horaires dépendent du rythme régulier de l'école, car Marjorie ne supporte pas l'idée de garderie.

Elle allume la radio haïtienne. Soudain, elle apprend qu'Angelo Syracusa junior vient d'être assassiné. Elle arrête sa voiture sur le bas-côté et augmente le volume. Le journaliste évoque la possibilité d'un règlement de comptes entre familles italiennes. À Montréal, on dirait que tout le monde connaît tous les détails des organisations mafieuses, sauf la police. Marjorie pense d'abord à appeler au Lorena, puis elle se ravise. Elle décide de se rendre auprès d'Antonia.

Dans la maison encerclée de journalistes et de policiers, Antonia paraît figée. Francesco accompagné de la petite Alessandra, tente de lui faire avaler deux comprimés de Seroquel, qu'elle refuse obstinément d'un signe de la tête. Quand elle aperçoit Marjorie, seule Noire dans le salon, à la stupéfaction de tous, elle lui demande de s'approcher. Antonia prend d'abord sa main en silence. Marjorie lui touche l'épaule. Sa compassion est réelle, c'est une compassion de mère. Elle ressent de l'admiration pour l'attitude quasiment stoïque d'Antonia. Elle a cru qu'elle la trouverait en pleine crise de larmes, détruite ou hystérique. Elle est au contraire immobile et impassible, affrontant un destin peut-être inscrit dans ses gènes siciliens. Ce n'est plus la femme grassette et volubile qu'elle a connue. Subitement vieillie, c'est la *mama*. Grave. Silencieuse. Tentant de terrasser la douleur avant que celle-ci ne l'emporte.

— Tu avais raison… Ils vont tous nous tuer si nous ne faisons pas quelque chose. Il faut sauver la famille.

Sa douleur la tutoie parce que son cœur s'incline.

Cesare tend la main vers la bouteille de whisky à moitié vide à côté du lit. Des vêtements sales traînent partout dans la chambre. Il est en larmes.

— Je ne veux pas y aller ! Je ne veux pas voir le cadavre de mon frère, ça fait trop mal !

Daniella, qui vient d'éloigner la bouteille, tente de le consoler.

— Mon amour, tu n'as pas le choix. Pense à ta mère qui doit être complètement dévastée par le chagrin, ton père qui doit se morfondre dans sa cellule, ton frère Francesco, tes…

— J'ai tellement mal… J'adorais Angie, c'était un vrai, le seul digne d'être le successeur de mon père.

— Je comprends, mon amour, je t'accompagne si tu veux…

— Je suis incapable de faire face à ma famille dans cet état-là, j'ai beaucoup trop de drogues et d'alcool dans mon système, présentement !

— Je vais conduire si tu veux. On va présenter nos respects, ensuite on fout le camp.

— T'es complètement folle, Daniella, imagine la réaction de ma famille lorsqu'elle va te voir !

— Bon, c'est ça, t'as honte de moi, j'le savais !

— Non, mon amour, au contraire, j'veux simplement les préparer avant...

— Les préparer à quoi ! J'en ai plein le cul d'attendre, ça fait des mois qu'on se fréquente, que tu me répètes toutes les minutes à quel point tu m'adores, que je suis la femme de ta vie, etc. C'est justement maintenant qu'il faut qu'ils me rencontrent, car ils ont d'autres soucis en tête. Allez, on y va !

Cesare se lève comme pour marcher vers sa mort tandis que Daniella se remaquille rapidement.

À la résidence familiale, ils trouvent une vingtaine de voitures garées devant l'entrée. Une cinquantaine de membres de la communauté italienne forment une longue file devant la porte en attendant patiemment. Daniella attire les regards lorsqu'elle descend de la voiture, vêtue d'un long manteau de renard, d'une robe moulante léopard et d'escarpins dernier cri assortis.

— *Sembra a una prostituta della strada Saint-Laurent*[22], chuchote l'un.

— *E 'una nera in più*[23] *!* dit un autre.

— *Finira per uccidere sua madre*[24] *!* s'insurge une grand-mère italienne.

Cesare est encore saoul quand il découvre sa mère installée dans le luxueux salon, entouré des siens. La longue file des visiteurs vient l'embrasser, sans dire un mot, et prie avec elle en silence. Cesare au contraire s'effondre dans les bras de sa mère.

— *Sono profondamante dispiaciuto, mamma*[25]...

— *Infine, ci sei*[26]...

— *Ti amo*[27].

— *Anch'io ti amo, amore mio*[28].

— *Ma*, voici ma copine Daniella.

— Madame Syracusa, permettez-moi de vous offrir mes plus sincères condoléances. Je suis vraiment navrée pour vous et toute votre famille. Si vous avez besoin de quoi que ce soit, n'hésitez surtout pas.

---

22 « Elle ressemble à une prostituée de la rue Saint-Laurent. »

23 « C'est une négresse en plus ! »

24 « Il finira par tuer sa mère ! »

25 « Je suis profondément désolé, maman. »

26 « Finalement, te voilà. »

27 « Je t'aime. »

28 « Moi aussi je t'aime, mon amour. »

— *Grazie, cara bambina*[29]...

Antonia ne démontre aucune réaction à la vue de sa nouvelle bru et ne fait aucun commentaire sur les vapeurs d'alcool qui émanent de Cesare. Un serveur s'approche de Daniella.

— Café, thé, madame ?

— Non merci... Pouvez-vous m'indiquer la toilette s'il vous plaît ?

Elle se dirige timidement vers la salle de bain et s'enferme à double tour, ouvre ensuite le robinet du lavabo et sort de son sac un petit flacon bourré de cocaïne dont elle dépose le contenu sur le comptoir. Elle renifle d'un trait la poudre blanche. Cesare cogne à la porte.

— Tout va bien, ma chérie ?

— Oui, oui...

— Ouvre-moi la porte, s'il te plaît.

Daniella ouvre discrètement la porte et laisse entrer son amant qui la referme sans prendre le temps de la verrouiller.

— J'veux m'en aller, s'il te plaît, Cesare, je me sens observée comme une bête de cirque...

— Mais non, c'est dans ta tête, personne n'a rien remarqué... On va quitter dans quelques minutes, mais avant, il me faut quelque chose...

Il sort une seringue et un petit paquet de son manteau, s'installe sur le bol et s'injecte une dose

29 « Merci, chère enfant. »

d'héroïne dans le bras. Il tombe aussitôt dans un état second… Daniella se met à genoux et commence une fellation mais Cesare ne peut atteindre l'érection. Daniella soulève alors sa robe, descend sa culotte et sort sa verge qu'elle met dans la bouche de son homme.

— Allez, mon bébé, suce-moi…

— J'peux pas, Danny, pas maintenant…

— Fais un effort, s'il te plaît…

— J'suis pas capable ! Il y a plein de gens dans la maison, attend un peu…

C'est alors que la petite Alessandra, onze ans, fille aînée du défunt, en ouvrant la porte de la salle de bain, découvre son oncle accroupi sur le bol de toilette, seringue au bras, pratiquant une fellation à son amant vêtu d'une robe et de talons aiguilles. Dans une ambiance de funérailles.

— *Zio*[30] *Cesare !*

Elle referme immédiatement la porte et court avertir sa mère.

— *Ma*, *ma*, quelque chose de bizarre se passe dans les toilettes !

— Quelque chose de bizarre ? interroge Sabrina.

— Oui…

— Que se passe-t-il ?

30 « Oncle »

— Et bien... Je voulais faire pipi, j'ai été aux toilettes et j'ai trouvé *zio* Cesare qui...

— Qui quoi ?

— Qui... fait des choses drôles.

— Quelles choses drôles, Alessandra ? Allez *amore*, parle-moi.

La gamine se met à pleurer à chaudes larmes. Sabrina empoigne la main de sa fille et l'amène au boudoir.

— Que se passe-t-il, mon amour ? Dis-moi tout, tu sais que tu peux me faire confiance ?

— Oui, mais... J'ai peur que *zio* Cesare se fâche après moi si je te raconte...

— Je te promets que je ne lui dirai rien.

Alessandra pousse un long soupir de soulagement. Pendant ce temps, Cesare et Daniella quittent la résidence rapidement en s'éclipsant par la porte arrière.

— Je pense que *zio* Cesare est très malade, *ma*.

— Ah bon, pourquoi dis-tu ça ?

— Parce qu'il était dans la toilette, ses yeux étaient fermés et il avait une piqûre au bras.

— Une piqûre ?

— Oui, comme l'infirmière m'a fait lorsque j'étais petite et que j'avais attrapé la varicelle. Il avait une seringue dans son bras et...

— Et quoi d'autre ?

— Il faisait des choses pas catholiques...

— Comme quoi ?

— Je sais pas comment t'expliquer, mais j'ai vu quelque chose de vraiment spécial…

— Raconte…

— La madame avec qui il est venu, bien… Elle a un pénis, *ma* !

— Quoi, tu es sûre de ce que tu racontes ?

— Je te jure que c'est vrai, *ma*, elle a un pénis et elle l'a mis dans la bouche de *zio* Cesare, je l'ai vu, je te jure !

— *Oh Signore Gesù*[31] *!*

Sabrina Syracusa, choquée, se confie immédiatement au *consigliere* de la famille. Ce dernier décide, vu la gravité de la nouvelle, d'en faire part aux autres membres du clan à l'exception d'Antonia, considérée trop fragile. Il réunit les hommes à l'extérieur de la maison, à l'abri de témoins ou d'écoute électronique policière. Francesco, cadet de la famille, reconnu pour son calme olympien même dans des situations de crise, pique une violente colère. Comment Cesare peut-il se conduire de la sorte ? Comment a-t-il osé emmener une telle épave dans la maison familiale après la mort de leur frère ? Le benjamin de la famille doit payer. Pour son homosexualité — pour lui, il est inacceptable que son frère soit un *froscio*[32] — et pour

31 « Oh Seigneur Jésus ! »

32 « Pédé »

sa conduite. Le *consigliere*, entouré de deux hommes de confiance, décide de prendre l'affaire en mains.

— Ne dites rien à votre père avant qu'il ne soit rétabli. Je lui annoncerai la nouvelle personnellement en temps et lieu. Pas un mot non plus à votre mère, cette nouvelle peut l'achever... Trouvez-moi Cesare et amenez-le au café Milan dans une heure. Dites-lui que Francesco souhaite lui parler et qu'il comprend sa situation... Et surtout, qu'il n'a rien à craindre.

Cesare et Daniella se sont réfugiés à la résidence de cette dernière. Le benjamin de la famille tremble de tous ses membres, conscient des lourdes conséquences qui l'attendent.

— Foutons le camp du pays, mon amour, je vais me faire descendre, c'est sûr !

— Tu paranoïes, ta famille ne te ferait jamais aucun mal, tu es le bébé, le préféré de ta mère en plus !

— Tu te trompes Daniella... L'homosexualité chez les Italiens, c'est pire que d'être criminel ! Je suis la honte de la famille, mes parents ne me pardonneront ni ne me comprendront jamais !

— Alors qu'est-ce qu'on va faire ?

— On fout le camp en République dominicaine ou à Cuba, je ne sais où !

— Mais, on n'a plus de fric ! Je ne veux pas fuir, pense à ma famille, mes amis, mes...

— T'as envie de te retrouver dans un coffre de voiture avec une dizaine de balles dans le corps ? Alors, prends deux ou trois affaires et on débarrasse rapidement !

Daniella récupère précipitamment quelques effets personnels, s'empare des clefs du véhicule lorsqu'elle entend frapper à la porte de son logement. Cesare ferme immédiatement toutes les lumières et fait signe à sa conjointe d'aller se cacher sous le lit. Sur la pointe des pieds, il se dirige doucement vers la fenêtre où il aperçoit une luxueuse Mercedes noire aux vitres teintées. On entend frapper à la porte à maintes reprises.

— *Cesare, aprì la porta, sono io Lino*[33] *!*

— *Que cosa vuoi*[34] *?*

— *Mi manda Francesco. Vuole parlati per favore. Non ti preoccupare, tutto andrà bene, fidatevi di me*[35].

— *No, non mi muovo da qui ! Non voglio parlare con lui, mi ammazza*[36]*!*

— Arrête de déconner, Cesare… Tu connais ton frère, il t'adore, jamais il ne ferait quelque chose comme ça. *Prima famiglia*[37] *!*

---

33 « Cesare, ouvre-moi la porte, c'est moi, Lino ! »

34 « Qu'est-ce que tu veux ? »

35 « C'est Francesco qui m'envoie. Il veut te parler s'il te plaît. Ne t'inquiète pas, tout va bien aller, fais-moi confiance. »

36 « Non, je ne bouge pas d'ici ! Je ne veux pas lui parler, il me tuera ! »

37 « La famille avant tout ! »

— Je ne te crois pas !

— Tu as ma parole, fais-moi confiance... Allez, ouvre la porte.

Cesare s'avance d'un pas incertain et déverouille la porte. Lino et Massimo l'agrippent et le ramènent à la voiture. Ils retournent dans l'appartement et trouvent Daniella en pleurs, paralysée par la peur. Elle aussi est amenée dans le véhicule. Arrivés au café Milan situé dans le quartier industriel de Laval, les trois hommes se rendent à l'intérieur où les attendent Francesco, maître Gianni Randa et d'autres membres du clan Syracusa.

Dès qu'il franchit la porte d'entrée, Francesco crache au visage de son frère. Cesare, surpris et honteux, ne dit pas un mot. L'un des soldats l'attrape en le ceinturant pendant qu'un autre lui inflige plusieurs coups de pied et de poing sur tout le corps. Cesare s'affaisse en hurlant. Daniella, tentant de fuir, est rapidement rattrapée par ses ravisseurs. Ils lui assènent de violents coups de pied aux testicules. Elle s'effondre au sol.

Des larmes coulent sur le visage de Cesare qui, la mâchoire défoncée par les coups, est incapable de prononcer une parole.

— *Sporco froscio, madre avrebbe abortirti*[38]*!* continue Francesco en piétinant son frère. Tu es la honte de

38 « Sale pédé, maman aurait dû t'avorter ! »

la famille depuis ta naissance, tu n'es pas digne d'être le fils de notre père ! C'est toi qui aurais dû crever, enculé !

Il crache plusieurs fois au visage de Daniella.

— *Finite il lavoro*[39] *!* conclut-il en quittant les lieux.

Les deux hommes s'emparent de Cesare et le conduisent à la salle de bain. Ils ligotent ses pieds et ses mains et lui enfoncent un balai à récurer dans l'anus. Cesare pousse des cris de douleur aigus et prolongés sans éveiller la pitié des bourreaux. Daniella subit les mêmes sévices. Les tortionnaires poursuivent leurs atrocités jusqu'à l'aube en abandonnant ensuite leurs victimes dans un fossé situé sur la Rive-Nord.

39 «Terminez le boulot ! »

CHAPITRE 23

Il est 1 h du matin lorsqu'une quinzaine d'hommes d'origine hispanique entrent au Dahlia noir, le club fréquenté par les hommes de Cash Lavallée, au coin des rues Saint-Laurent et Sainte-Catherine. C'est la première fois de leur vie qu'ils voient tomber de la neige. Pour eux, ce mot n'a jamais désigné autre chose que la cocaïne, et quand ils regardent cette poudre tomber du ciel en gros flocons, ils interprètent cela comme un signe favorable. Les *mareros* sont des mystiques. Pour éviter d'éveiller la curiosité des passants, ils se mêlent d'abord discrètement à la longue file d'attente, à la suite de jeunes filles qui affrontent le froid. Pour beaucoup de ces hommes de la Salvatrucha, c'est le premier contact avec l'hiver québécois. Rien ne les y a préparés, et ils observent avec stupeur ces femmes en décolleté et talons hauts qui attendent sagement, par quinze degrés sous zéro.

— *Tienen la sangre más caliente que nos*[40], remarque l'un des hommes.

Aucun d'eux ne parle français, à part Juan, leur chef. La plupart cependant ont appris l'anglais dans les pénitenciers californiens. D'ailleurs, à Montréal, qui se retournerait en entendant quelqu'un parler espagnol ? De loin, on pourrait croire à une bande de jeunes hommes d'affaires en vadrouille, sortant de Chez Paré. Sauf qu'ils ont tous le crâne rasé et le corps marqué.

Juan se glisse en tête de ses hommes, prêt à affronter la fouille et le détecteur de métal. Derrière, les *mareros* se préparent au plus grand carnage que Montréal ait jamais connu.

À l'entrée, Juan est immédiatement intercepté, en raison de l'arme qu'il porte sur lui.

— Laisse faire, dit-il au videur avec un fort accent. Regarde là.

Il lui désigne sa droite. Un de ses hommes pointe son arme sur le ventre du videur. Celui-ci laisse passer un à un tous les hommes.

— Tou fermes ta guole sinon onne te toue ! lui souffle Juan à l'oreille tandis qu'entrent les meurtriers.

40 « Elles ont le sang plus chaud que nous. »

Le portier hoche la tête en guise d'acquiescement. Le groupe pénètre dans la salle bondée. Un millier de personnes sous l'effet de substances illicites et de la techno. Une chaleur suffocante. Deux *mareros* se dirigent immédiatement vers les toilettes, tandis que les autres s'installent à des endroits stratégiques : les coins, le centre, la sortie.

Et le bar. Surtout le bar. Accoudés à celui-ci, les revendeurs des Soul Ryderz discutent entre eux de leurs transactions lucratives du jour. Ils ne prêtent pas attention à Juan et à quelques-uns de ses guerriers qui s'approchent d'eux. Juan les dévisage tranquillement. Paul « L'os » Simard, qui ne pèse que soixante kilos et mesure un mètre quatre-vingt-cinq, Simon « Ti-Blanc » Sarrazin, livreur de cocaïne aux revendeurs du groupe, Ghyslain « Big Mouth » Carpentier, reconnu pour sa grande gueule, Dominique « Casino » Demers, qui collecte le remboursement des prêts usuraires octroyés aux gros joueurs du Casino de Montréal, et Claude « Le Smat » Grenier, reconnu dans son gang pour sa rapidité d'esprit. Le grand colosse arbore plusieurs tatouages au visage à l'effigie des Soul Ryderz, et du haut de son mètre quatre-vingt-quinze, il est le plus intimidant du groupe. D'un pas décidé, il se dirige vers le clan rival.

— Kossé que tu fais icitte, toé, tabarnak ? s'exclame-t-il, s'adressant à Juan.

— Je souis vénou pour faire message dé ma patronne, lui répond calmement Juan.

— Ah ouin ? Kossé qu'y a, crisse ? De quelle patronne tu parles ?

— Nous prénons contrôle des bars.

— Heille, le cave, tu me niaises-tu, câlisse ? T'es sur mon territoire icitte, pis moé, j'me crisse de toé, de la crisse de salope, pis de son estie de chien de poche, câlisse !

— *Madrina no es una* salope ! s'insurge Juan qui crache au visage de Claude.

Les autres membres du groupe de motards se préparent à intervenir. La tension et le ton montent.

— Tabarnak, tu t'prends pour qui, toé, ciboire, câlisse d'importé ?

Claude s'empare d'une bouteille de bière pour frapper Juan qui l'esquive de justesse. Ce dernier fait signe à ses soldats. Leur réaction est immédiate. Ils dégainent leurs armes et abattent leurs ennemis, qui s'écroulent un à un sur le sol. Des motards surgis de la foule tirent dans la direction des *mareros* qui, ayant prévu la riposte, les exécutent les uns après les autres dans un délire de cris et un mouvement chaotique de la foule vers la sortie de la discothèque. Mais les *mareros* les repoussent à coups de feu. Les gens, ne sachant plus où aller, pris entre deux feux, perdent alors tout contrôle. Ceux qui, il y a quelques secondes, dansaient ensemble, se piétinent et se poussent violemment pour échapper à l'enfer.

— *Nadi sale de aqui*[41] *!* ordonnent deux *mareros* aux deux portiers en les tenant à la gorge, avant de les éliminer froidement. Les deux hommes meurent sur le coup.

Le carnage fait deux cent vingt-huit morts et une centaine de blessés graves.

Même heure, ouest de Montréal. L'équipe B, composée d'Antonio et d'une vingtaine d'hommes, se présente à la demeure de Christian « Jambe de bois » Sénéchal, vice-président du chapitre des Soul Ryderz de Lanaudière. Six hommes armés montent la garde devant la propriété où l'on fête les quarante ans du chef. Les gardes tombent l'un après l'autre sous les balles silencieuses des tueurs. Pour la première fois, les *mareros* voient le sang sur la neige. On dirait que ça leur donne soif. Antonio fait signe à ses hommes. Ils se dirigent maintenant vers la porte d'entrée. L'épouse du motard, croyant que d'autres invités arrivent, les accueille. Dès qu'elle aperçoit le plus tatoué des *mareros*, arborant quatre larmes dessinées sous chaque œil, elle pousse instinctivement un hurlement et tombe aussitôt. Assassinée.

41 « Personne ne sort d'ici. »

Au sous-sol, la fête bat son plein, et personne n'entend rien. Les meurtriers parcourent le reste de la maison. À l'étage, ils trouvent les trois jeunes enfants du couple, dormant paisiblement dans leur lit. Chacun reçoit deux balles au thorax. Les festivités bruyantes de la soirée se poursuivent au sous-sol. Les hommes descendent. Ils ouvrent le feu sur tout ce qui bouge. Tout. Les danseuses à moitié nues venues célébrer Sénéchal. Les deux canaris de sa femme. Rex, le berger allemand de la famille. Tous ces hommes en pleine orgie meurent, bière à la main et sexe en érection. Comme ils ont toujours vécu.

Deux heures plus tard, Montréal-Nord. Il est 3 h du matin. Dans un petit appartement crasseux du boulevard Pie-IX, des Zinglindos comptent les recettes de la soirée, que Frantz est venu récupérer pour les remettre à Marjorie. C'est au tour de l'équipe C. Enrique et ses hommes patientent dans une fourgonnette blindée garée dans le stationnement vide du Village des Valeurs. Christiana sort du véhicule et se présente à la porte de l'édifice, à quelques mètres du magasin. Elle sonne. Frantz lui ouvre la porte. L'énorme poitrine de la jeune fille lui sert de carte d'affaires, et Frantz ne demande à voir aucun autre papier d'identité.

— *Hey, sexy mama, what's up baby !*

La jeune femme lui sourit et humecte ses lèvres.

— *Hi Caballero...*, dit-elle, dans un mélange d'anglais et d'espagnol.

— J'peux t'aider ?

— *Estoy buscando for Frantz*[42].

— Lui-même...

Frantz comprend tout de suite à qui il a affaire. Cette femme est une danseuse, certainement nouvellement arrivée à Montréal.

— *Yo vengo... I mean...*

— *Of course, baby ! What are you looking for ?*

— *Some pof*[43].

— *OK. How much ?*

Elle montre deux doigts à Frantz en signe de réponse. Puis elle ajoute, en lui souriant de toute la blancheur de ses dents :

— *No cash...*

Frantz l'observe de la tête aux pieds tel un morceau de filet mignon qu'il se prépare à dévorer.

Elle mime une fellation en suçant son pouce, tout en regardant l'homme.

— *Blow ?*

— *Bien, bien*[44], *no problem.*

42 « Je cherche Frantz », mi-anglais, mi-espagnol.

43 « Crack, cocaïne », dans le jargon de la rue.

44 « D'accord »

Frantz veut l'emmener aussitôt vers sa voiture, mais elle le retient d'un air timide, ou pervers, et fait mine de grelotter.

— *Inside, inside...*

En effet, pense Frantz, elle est nouvelle au Québec. Il va la réchauffer vite fait. Christiana pénètre dans l'appartement où elle trouve les autres membres des Zinglindos, complètement intoxiqués par le crack.

— *Alé mésié, bam-m la blanche*[45] *!* ordonne Frantz.

Dans une pièce minuscule du fond, trois jeunes filles mineures, des fugueuses, subissent les agressions sexuelles de quatre Zinglindos. L'une d'entre elles pleure à chaudes larmes, le visage ensanglanté et tuméfié par les coups.

—Yo, ta gueule, *fuckin cheap bitch*, ouvre tes jambes, *fuck !* ordonne l'un d'eux.

— J'veux pas, j'veux plus, j'ai mal ! Arrête, je t'en supplie, j'veux rentrer chez nous !

— Chez vous ? T'en as pas, de chez-vous, *fuckin* guidoune. T'as voulu te sauver de chez tes parents, pis devenir une femme ? Parfait, maintenant, assume ton choix !

— J'veux retourner au centre d'accueil, s'il vous plaît ! dit-elle en pleurant.

45 « Allez, messieurs, foutez le camp. »

— Tu vas y retourner, mais avant faut que tu nous rembourses l'argent qu'on a investi sur toi, *fuckin whore !*

— Quel argent ?

Le jeune homme la gifle et l'insulte copieusement. La jeune fille, terrifiée, tente de protéger son visage…

— Ta bouffe, tes vêtements, tes cigarettes, etc. On n'est pas les Œuvres du cardinal Léger, nous autres ! Allez, ouvre tes jambes, salope !

La jeune fille s'exécute en silence sous les yeux horrifiés des autres victimes.

— J'ai dit dehors, les *boys* ! ordonne Frantz.

— Yo, calme-toi, *bro*. Tu peux la *conyin*[46] devant nous !

— Cool ! répond Frantz en riant.

— Condom… condom…, demande Christiana.

— *No condom here. Store. Station.*

— *Tienda !* comprend la jeune fille, en remettant son manteau pour sortir.

C'est le signal convenu. Aussitôt la *marera* sortie de l'immeuble, les Salvadoriens font irruption dans l'appartement et vident leurs chargeurs. Celles qui réclamaient leur liberté obtiennent la mort sous le poids du corps de leurs agresseurs, abattus eux aussi. Personne n'a le temps de riposter. Ils sont dans un tel état de défonce qu'ils rateraient leur cible à deux

46 « Baiser »

mètres. Seul Frantz, grièvement atteint mais sobre, pense à se protéger et fait le mort dans l'odeur ferreuse du sang de ses frères. Il remarque que les meurtriers installent une bombe incendiaire qui fera exploser l'immeuble dans les deux minutes suivantes. Dès qu'ils ont tourné le dos, il s'enfuit par la sortie d'urgence. L'explosion ébranle les vitres du Village des Valeurs, dont l'alarme se met à sonner. La camionnette s'en va vers la rue Notre-Dame.

CHAPITRE 24

Frédérique fait les cent pas dans le hall d'entrée de l'hôtel Sacha en attendant l'arrivée de son amant, qui se fait attendre plus que d'habitude.

Elle sort un petit miroir de sa poche et s'applique de nouveau du rouge à lèvres. À l'extérieur de l'hôtel, une Mercedes noire vient se garer devant le valet. Larry Bernstein sort discrètement de sa voiture en prenant bien soin de s'assurer qu'il n'est pas épié. Frédérique accourt vers lui et se jette dans ses bras en l'embrassant.

— Finalement, mon chéri ! Ça fait deux heures que j'attends !

— Tu n'as pas entendu ce qui s'est passé ? demande-t-il d'un ton furieux.

— Non, mon amour... Qu'est-ce qu'il y a ?

— Monte, il ne faut pas qu'on nous voie ensemble.

Ils entrent dans l'ascenseur et montent vers la chambre d'hôtel qu'il a réservée.

— Un massacre... Plus de deux cent vingt morts au Dahlia.

— Qui a fait ça ?

Larry, en face de Frédérique, sent son haleine d'alcool. Lui aussi boirait bien quelque chose. Il a besoin de se relaxer.

— Je ne sais pas encore. Dépêche-toi, je n'ai qu'une demi-heure, lance-t-il en entrant dans la chambre.

— Une demi-heure, tu veux rire de moi ou quoi ?

— *I work for a living, remember?* Plus de dix de mes clients viennent de se faire assassiner.

— J'en ai marre !

— *Stop being a spoiled brat for a change!* C'est ça ou rien !

Frédérique pénètre dans la chambre et commence immédiatement à se dévêtir. Son amant s'installe sur le coin du lit, sort un dossier de son cartable et ouvre sa braguette en sortant son manche.

— *Come on baby, suck me...*

Elle se met à genoux.

— Et les préliminaires, Larry ? Tu oublies la galanterie ou quoi ?

— *I have no time for all that*, je dois être au bureau dans trente minutes !

— OK… Et c'est quoi, ça ?

— Les notes pour mon dossier ! *Come on babe, give it to daddy…*

Frédérique s'exécute malgré elle. Après quelques minutes qui semblent interminables, Larry n'a toujours pas d'érection. Son esprit est ailleurs, préoccupé par la fusillade de la rue Saint-Laurent. Il dégage, d'un geste brusque et presque en lui faisant mal, les mèches blondes de Frédérique, étalées sur les pages ouvertes de son dossier.

— *Sorry honey*, je dois partir.

— Déjà ?

— *Yep.*

Larry s'empare prestement de ses effets, embrasse sa maîtresse sur le front et quitte la chambre. Frédérique se presse vers la porte.

— Dis-moi que tu m'aimes !

La porte de l'ascenseur s'ouvre et Larry s'éclipse derrière sans répondre. Frédérique s'effondre, en pleurs.

— Je n'en peux plus… Je n'en peux plus. JE N'EN PEUX PLUS !

Frédérique vient de prendre conscience de sa déchéance. Elle se voit nue, seule dans cette chambre dont le lit n'est même pas défait, après une fellation ratée sur un homme qui ne l'a même pas regardée. Mais, prise dans ses sentiments de femme soumise à l'attention d'un amant, pas un instant elle ne songe à juger Larry. C'est elle qu'elle trouve méprisable et indigne de son regard. Elle est envahie d'une sorte de nausée de l'âme. Elle fouille dans son sac, puis se dirige difficilement près de la télévision de la chambre pour rédiger un mot sur une enveloppe imprimée au nom de l'hôtel. Elle ouvre sa boîte de comprimés et avale tout son contenu d'un trait. Elle ne se sent plus appartenir à ce monde. Oui, elle aime Larry, elle aime Larry de tout son cœur, mais comment pourrait-il l'aimer ? Elle se trouve sale, dégoûtante. Immonde. Alors qu'elle perd peu à peu connaissance, des moments de sa vie, comme des morceaux d'un puzzle incohérent, surgissent par flashs : Paris, un jour de défilé pour Yves Saint-Laurent, en pleine surdose de cocaïne. Une orgie à Londres. Puis, le visage dur de sa mère, qui a effrayé son enfance. Le dos de son père. Le rire de Marjorie. Le visage de Maxim. La nuque de Cash... Puis, elle ne voit plus rien.

CHAPITRE 25

— Ici la réception de l'hôtel Sacha. Nous avons un message pour vous.

Marjorie commence la journée la plus lourde de toute sa vie, vers 4 h du matin, en apprenant le geste désespéré de Frédérique.

— Nous l'avons trouvée dans le couloir de son étage. Elle tenait une enveloppe dans ses mains, avec votre numéro de téléphone. Nous avons immédiatement appelé une ambulance.

Marjorie sort de la chambre pour obtenir des explications. Depuis l'arrestation de Junior, ses deux filles dorment avec elle, dans le même lit.

— Qui était avec elle ? À quel hôpital a-t-elle été transportée ?

Le réceptionniste à l'accent vietnamien fournit peu de réponses. Il lui lit difficilement le message écrit par Frédérique :

— « Larry, mon amour, je t'aime, la vie sans toi m'est devenue insupportable, pardonne-moi… À la personne qui retrouvera mon corps, prière de contacter Marjorie Cadet, ma sœur de cœur, au 514 555-9115. » L'ambulance est partie il y a une heure environ.

Il ne sait rien de plus.

Marjorie réveille l'aînée des filles, en tentant de ne pas laisser paraître son anxiété.

— Un ami de papa ira vous reconduire à l'école ce matin, ma chérie. Je dois partir tôt aujourd'hui.

— Est-ce que tu viendras nous chercher après l'école ? demande la petite, tout endormie, mais qui a hérité du sens des responsabilités de sa mère.

— Je ne sais pas encore… Peut-être que ce sera mamy. On se voit ce soir. Rendors-toi vite, ma puce.

Elle caresse le front de Gucci, qui se retourne et se blottit contre sa sœur.

Frédérique, inconsciente et étendue sur une civière, le visage couvert d'un masque à oxygène, vient d'entrer en salle de réanimation.

De sa voiture, Marjorie appelle d'abord le service des urgences, qui n'accepte de lui donner aucune information par téléphone quand elle déclare simplement qu'elle est une amie de la patiente. Puis, elle compose le numéro d'Antonia. Celle-ci, pense-t-elle, ne supporterait pas d'être prévenue trop tard. Même si elle est accablée par l'assassinat de son fils, elle considère un peu Frédérique comme la fille qu'elle n'a jamais eue.

— Il est arrivé quelque chose à Frédérique...

— Qu'est-ce qu'elle a, la petite ?

Frédérique, par respect ou par crainte, n'a jamais osé faire part à Antonia de la moitié de ses relations sexuelles. Marjorie continue :

— Elle a fait une bêtise... Elle est à l'hôpital. Elle a pris trop de médicaments.

Antonia ne demande pas d'explications supplémentaires. Sans avoir jamais posé de questions à la jeune femme concernant sa vie privée, elle a deviné depuis longtemps que cette dernière vit trop vite, trop fort, sans maîtrise.

— Je te rejoins à l'hôpital...

L'amitié entre Marjorie et Frédérique remonte à l'école secondaire huppée d'Outremont où elles se sont rencontrées. Pour Marjorie, l'une des seules Noires parmi les collégiennes des sœurs Vierge Marie, l'adaptation n'a pas été très facile. Frédérique, très mauvaise élève et très drôle, s'est immédiatement rapprochée d'elle, et son amitié lui a ouvert les portes d'un milieu entièrement nouveau. Jusqu'alors, l'argent ne lui était apparu qu'en tant que problème. Mais Marjorie réalisait que, dans ce petit monde, il pouvait représenter une solution. À Frédérique, comme à toutes ses collègues de classe, il rendait la vie facile et légère. À la rentrée scolaire, lorsqu'il fallait raconter ses vacances, Marjorie entendait les récits merveilleux de séjours dans des chalets luxueux, de croisières en Égypte, de visites chez la famille à Paris. Elle, qui voyait toute l'année ses parents se sacrifier pour lui payer cette école, inventait des séjours exotiques en Haïti, où elle n'avait jamais mis les pieds, grâce aux souvenirs de sa mère et à des photos qu'elle trouvait dans de vieux albums. Frédérique, à qui Marjorie ne mentait jamais, lui fournissait des détails empruntés à ses propres vacances pour l'aider à décrire ces voyages idylliques. Jamais elle ne l'avait présentée à ses parents, qu'elle semblait détester et qui paraissaient lointains, à l'opposé des parents de Marjorie qui adoraient Frédérique.

L'hôpital, plongé dans la nuit, semble encore plus sinistre que d'ordinaire. La jeune femme demande le numéro de chambre à la préposée assise près d'un sapin de Noël.

— Elle est sortie de réanimation il y a une heure.

Marjorie soupire.

La chambre contient deux lits. Seul celui de Frédérique est occupé. Ses parents sont à son chevet. Le père, un homme élégant et mou au magnifique regard bleu, tient la main de sa fille entre les siennes. Marie-Claire Denoncourt, son épouse, mince, presque maigre, avec une sorte d'air perpétuellement dégoûté sur le visage, observe sa fille de loin comme une parfaite étrangère.

Frédérique semble endormie. Une infirmière vérifie les perfusions.

— Ma chérie, murmure-t-elle, c'est moi, Marjo.

Frédérique ne répond pas. Ses mains tremblent un peu, elle va reprendre connaissance. Marjorie s'assied.

— Pourquoi t'as fait ça ? Pourquoi tu ne m'as pas appelée avant de faire des conneries pareilles ?

— Elle a pris une dose massive de médicaments mélangée à de l'alcool. Elle a failli y rester, dit l'infirmière.

— *Oh my God*, c'est pas possible !

— Où suis-je ? demande péniblement Frédérique.

— Tu es à l'hôpital, mon trésor..., répond son père.

Frédérique éclate en sanglots.

— Je veux mourir...

— Calme-toi, mon chaton, tout va bien aller. Le docteur Turcotte va s'occuper de toi, mon amour.

La mère ne bouge pas. Femme froide, hautaine et autoritaire, Marie-Claire Denoncourt fait partie de ces mères parfaites qui font des enfants psychopathes.

— Il m'a abandonnée... Je veux mourir...

— Qui t'a abandonnée, ma chérie ? intervient le père. Moi, je ne t'abandonnerai jamais, tu le sais...

— Elle parle de Larry Bernstein, répond Marjorie, que la mère de Frédérique a d'abord prise pour une garde-malade quittant son service.

— Appelez-le, je vous en supplie ! Dites-lui que je vais mourir...

— C'est un porc, continue Marjorie.

Madame Denoncourt se retourne vivement vers elle. Elle est scandalisée par l'amie de sa fille et par la situation de Frédérique. Cette femme ne connaît l'existence de l'amour que comme un téléspectateur de Télé-Québec sait ce qu'est un iguane : parce qu'elle en a entendu parler. Mais elle ne l'a jamais approché, ni touché.

— Et ta fille ? demande la mère, prenant la parole pour la première fois. Tu ne veux pas la voir ?

Son ton est presque sadique. C'est en raison de son attitude froide, distante, que Frédérique a décidé de s'enfoncer dans la débauche. En s'avilissant dans la fournaise sexuelle, elle compensait l'altitude glaciale de sa mère et réparait les dégâts en en commettant d'autres.

— Marie-Claire, je vous en prie, ce n'est pas le moment.

Jean-Pierre Denoncourt, partagé entre l'amour de sa fille et la fortune de sa femme, n'a jamais osé prendre position pour l'une ou pour l'autre.

— Laissez-nous, s'il vous plaît, demande le docteur Turcotte en pénétrant dans la pièce. Je vais l'examiner.

Marjorie s'éloigne dans le couloir à l'odeur d'eau de Javel et d'alcool désinfectant pour composer le numéro de Junior. Les parents de Frédérique, sans un mot, s'éloignent vers l'ascenseur. Elle tombe sur la boîte vocale. On ne répond pas toujours à l'appel quand on doit cacher son téléphone :

— Dis à Cash que son ex couchait avec Bernstein et qu'elle vient de tenter de mettre fin à ses jours.

À la prison de Navata, à Saint-Hippolyte, Junior s'approche de Cash dans la salle d'entraînement.

—Yo, Cash, faut j'te parle, *bro*...

— Kossé qu'y a, tabarnak ? T'as ben l'air bête, toé, câlisse...

— *Sit down, bro, sit down.* C'est grave, *man*, faut que tu sois fort.

— Heille, arrête de faire ta moumoune, sacrament, pis *shoot* !

Junior, l'entraînant à l'écart, à l'endroit où sont rangés les haltères, l'informe de la situation.

— Câlisse d'estie de tabarnak de crisse de vidange ! J'vas le tuer, câlisse ! crie Cash.

Il s'est rué vers le sac de sable qu'il percute comme un forcené. Les détenus, impressionnés par la puissance de Cash, n'osent s'approcher. Ils s'arrêtent pour l'observer.

Soutenu par Junior, Cash a épuisé sa force, mais n'a pas vidé sa rage. Junior fait signe aux autres de s'éloigner.

— *Come on, man*...

Il se retourne contre le mur et fond en larmes comme un orphelin. Dès qu'il revient à lui, sa décision est prise. Larry Bernstein doit mourir.

Junior, lui offrant son aide, lui demande de le suivre.

— Frédérique a été transférée en désintox, apprend Marjorie à Antonia qui vient d'arriver. On pourra la voir dans quelques minutes.

Elle lui explique en peu de mots la relation tumultueuse de Frédérique avec Larry, qu'elle n'a jamais pu supporter. Antonia, vêtue de noir et coiffée sobrement, ne semble pas étonnée. Elle paraît épuisée, au bout d'elle-même, mais ne manifeste aucune émotion. Les Italiennes traditionnelles, quoi qu'on en dise, pratiquent beaucoup plus le silence que le verbiage, qu'elles laissent aux enfants. Il existe aussi, chez elles, une sorte d'omertà concernant certaines émotions.

Quand elle découvre Frédérique immobilisée, les poignets et les chevilles attachés, retenue sur son lit d'hôpital, Marjorie est scandalisée.

— *What the fuck !* C'est quoi, cette torture ? C'est Auschwitz ici ou quoi ?

Elle repasse par la porte qu'elle vient de franchir, tandis qu'Antonia, plus placide, dépose un Tupperware sur la petite table près du lit.

— *Mi amore*, dit-elle en caressant la joue humide de Frédérique. Je t'ai apporté ton plat préféré, des *linguinis* aux tomates et à l'ail, comme tu aimes. Tu viendras habiter chez moi quand tu sortiras d'ici.

— Où est ma mère ? demande faiblement Frédérique, sous l'effet d'un tranquillisant. Mon père ?

— Ils ont dû partir, je les ai croisés en venant.

— Est-ce que tu voudrais bien joindre Larry s'il te plaît ? Il doit être mort d'inquiétude.

— Pas maintenant, *amore*. Repose-toi un peu, on l'appellera tout à l'heure.

— *Oh my God*, ils sont tous timbrés ici ou quoi ! C'est pas possible de traiter les gens comme ça, j'ai failli foutre une baffe à l'infirmière en chef ! lance Marjorie en revenant dans la chambre qui ressemble à une cellule. On va te sortir d'ici, je te le jure !

Assises de chaque côté du lit, elles prennent chacune la main immobilisée de Frédérique. Les trois femmes sourient. La scène ressemble à l'histoire du Québec moderne réunie en une seule émotion. Cette Française entourée d'une Italienne mafieuse et d'une Haïtienne enragée, toutes trois, au fond, liées chacune au destin d'un absent, mais reliées par une amitié de femmes, se tiennent la main comme l'ont fait toutes les femmes du monde depuis le début de l'histoire de l'homme. Elles ont toutes Montréal pour terre d'adoption, mais portent en elles une culture étrangère plus atavique, qui, bien plus forte que leur éducation et l'imprégnation locale, dicte leur conduite.

— Pourquoi tu nous as pas appelées, Fred ?

La jeune femme n'en sait rien. Peut-être qu'elle n'a pas appelé parce qu'elle ignorait que ces deux femmes lui portaient tant d'amour.

Elle tourne son visage vers Antonia.

— J'ai appris pour Angelo… Je suis désolée.

Antonia baisse les yeux.

— Il faut que je te dise, Marjo…

— Quoi, ma chérie ?

— J'ai juré sur la tête de Maxim de ne pas parler… Mais je crois que je ne suis pas une si bonne mère… et c'est trop grave.

— Accouche, Fred. C'est quoi ?

— J'ai eu François au téléphone finalement. Il m'a parlé de Junior.

— Et alors ?

— D'abord, il m'a raconté qu'il était content qu'il soit en prison… On s'est disputés un peu parce que je ne comprenais pas comment il pouvait dire une chose pareille… Et puis, il m'a tout raconté.

Une infirmière entre pour sa vérification de routine. Les deux femmes lui font signe que tout va bien. Elle referme la porte.

— Tout quoi, Fred ? lance Marjorie, inquiète.

Antonia prend une grande inspiration. Fred continue :

— Il m'a dit qu'il était content pour Junior parce qu'il était à l'abri. Il y a un gang de Sud-Américains qui a décidé d'éliminer tous les revendeurs de drogue de Montréal. Il m'a dit qu'ils allaient tuer tout le monde puis faire venir trois cents millions de dollars de cocaïne par bateau. C'est pour ça qu'il voulait cacher Maxim. Ils vont tuer les femmes et les enfants, Marjorie…

Marjorie et Angela sont stupéfaites.

Les yeux verts de Frédérique, noyés dans les larmes, regardent successivement chacune des femmes.

— Je suis désolée Antonia, je suis désolée Marjorie… Je me doutais pas que c'était aussi grave. Je pensais que Cash inventait des histoires pour revenir avec moi. Mais là… Quand Larry m'a dit qu'ils avaient tué des gens dans le bar, j'ai compris. J'ai compris que c'était eux… Je suis désolée, je suis désolée…

Marjorie pense immédiatement à la sécurité de ses filles. Il faut qu'elle envoie des gardes du corps supplémentaires.

CHAPITRE 26

La violence des *maras*, à la différence de celle de la mafia ou des motards, n'est pas punitive. Elle est préventive. Elle ne vise pas à punir des coupables, mais plutôt à ôter à des innocents toute velléité de s'opposer à leur volonté. C'est pourquoi il faut exécuter tous ceux dont la mort, la plus cruelle possible, enverra un message clair aux survivants.

Avant d'être admis à la Salvatrucha, chaque candidat doit accepter de subir les coups de toute la bande pendant treize secondes — c'est un baptême de la MS-13 —, comme les filles doivent supporter un viol collectif par treize hommes. Cette opération de désensibilisation les rend aptes, ensuite, à la cruauté absolue.

— Pourquoi tu pleures, mamy ? Tu as de la peine ?

Bijou et Gucci, en regardant leur grand-mère qui les attend à la sortie de l'école de la rue Stuart, ignorent tout du sort de Frantz.

— Ce n'est rien, Gucci, c'est parce qu'il fait froid. Allez, montez vite dans la voiture.

— Où est tatie Mimose ? questionne Bijou.

— Elle ne peut pas venir aujourd'hui, elle est occupée... Tonton Frantz a eu un petit accident, rien de grave, tatie est à l'hôpital avec lui, nous allons sûrement les voir tout à l'heure à la maison. Allez, venez, mes amours, j'ai une surprise pour vous, je vous emmène au McDonald's !

—Youpi ! répondent les fillettes en chœur.

Marie-Rose et les enfants montent à bord de la Jaguar aux vitres teintées conduite par un membre des Zinglindos.

— Bonjour, monsieur, lancent les petites au chauffeur. Vous êtes qui, vous ?

— C'est un ami de maman, intervient Marie-Rose. Allez ! Au McDonald's le plus proche. Et avant, on passe au Jean Coutu de la rue Van Horne, s'il vous plaît. Je dois aller chercher mes médicaments.

— On veut la chanson ! On veut la chanson ! commencent à scander les petites. Maman nous met toujours une chanson quand on revient de l'école... Tu dois chanter avec nous, mamy.

Les petites entonnent gaiement *Ça fait rire les oiseaux* pendant que le chauffeur se dirige vers la pharmacie. Dans l'agitation, il ne réalise pas qu'il est suivi depuis vingt minutes par deux véhicules.

Il est maintenant près de 16 h. Par la fenêtre de la Jaguar, Bijou regarde les piétons, alignés sagement à l'arrêt d'autobus comme des étourneaux sur une branche. Ces oiseaux-là n'ont pas l'air de rire, dans le froid, les pieds dans la gadoue des trottoirs. Comme elle se sent chanceuse d'être bien au chaud dans la voiture, près de sa sœur et de sa grand-mère qu'elle adore ! Pour un enfant, le seul sentiment de sécurité suffit au bonheur et souvent, plus tard, il essaiera de retrouver ces moments de grâce, sans aucune responsabilité et sans souci du lendemain. C'est peut-être pourquoi il croit avec raison qu'il n'a joui du moment présent que dans le passé.

La Jaguar tourne depuis quelques minutes devant la pharmacie, puis s'arrête un peu à l'écart.

— Je peux vous déposer ici ? demande-t-il à Marie-Rose. Il n'y a pas de place de stationnement, nous allons vous attendre dans la ruelle.

La grand-mère et Bijou, laissant la petite Gucci sous la garde du chauffeur, quittent le véhicule et entrent dans la pharmacie. Comme toujours, l'enfant se précipite vers le rayon des parfums et demande des échantillons à la vendeuse. Marie-Rose se dirige vers la file d'attente en se tournant de temps en temps vers Bijou, en grande conversation avec la préposée. Quelque chose inquiète la grand-mère, mais elle n'y prête pas attention, mettant cela sur le compte de l'agression de Frantz et de la nervosité de la journée. Pourtant, elle se retourne vers sa petite-fille presque toutes les deux secondes maintenant. Oui, Marie-Rose pressent quelque chose.

— *Bijou, vin-n bò kotem*[47]. On est pressées.

La fillette rejoint sagement sa grand-mère, avec à la main un petit sac d'échantillons pour sa collection.

— *Montrem-m sa yo baw ou*[48].

L'inquiétude s'est maintenant transformée en oppression. La vieille dame, reconnaissant les signes de l'hypertension, s'appuie sur le comptoir en tendant son ordonnance.

— Tu restes ici, Bijou, tu ne vas pas plus loin, d'accord ?

Marie-Rose a vu juste.

Mais pas au bon endroit.

Dans la Jaguar, c'est au chauffeur maintenant que Gucci apprend la chanson de la Compagnie créole. Il se mêle un peu exprès dans les paroles, ce qui fait hurler l'enfant de rire.

— Encore une fois ! Tu dois refaire toute la chanson encore une fois !

Il reprend :

47 « Bijou, viens près de moi. »

48 « Montre-moi ce qu'on t'a donné. »

— « Ça fait rire les bateaux, ça fait chanter le soleil… »

— Mais des bateaux ça ne peut pas rire ! Recommence !

Elle est hilare lorsqu'un homme cogne à la vitre du côté conducteur et tire trois coups de feu, à bout portant, dans la tête du chauffeur.

Deux autres *mareros* ouvrent la portière arrière et s'emparent de Gucci. La petite, le visage couvert du sang du chauffeur, est en panique. Un des hommes la maîtrise rapidement et l'assomme avant de la jeter dans le coffre du premier véhicule, qui quitte aussitôt les lieux. En sortant de la pharmacie, Marie-Rose et Bijou découvrent des morceaux de cervelle maculés de sang à l'entrée de la ruelle. Elles croient à des restes de viande déchirés par des chats, jusqu'au moment où Marie-Rose s'effondre : elle vient de voir les portières ouvertes de la voiture et le petit attroupement de gens gesticulant avec des cellulaires.

— C'est quoi, ton nom ? demande quelques minutes plus tard une des policières de la patrouille.

— Bijou… Bijou Joseph, répond la fillette, en larmes, ahurie. Ma grand-mère est tombée, elle ne parle plus et je ne trouve plus ma grande sœur ! Pouchon est dans l'auto, sa tête a éclaté !

— Où sont tes parents ?

— Je ne sais pas…

— Ne t'inquiète pas, on va s'occuper de ta mamy. Est-ce que tu connais ton numéro de téléphone chez toi ?

— Non, papa est en vacances en Haïti.

— D'accord, ma chérie. Viens, on va monter dans la voiture.

CHAPITRE 27

Prison de Navata, Saint-Hippolyte. Maître Bernstein a connu des heures meilleures. D'un pas chancelant, il pénètre dans l'établissement pénitentiaire comme s'il allait y rester pour toujours. Il jette un dernier regard derrière lui, comme s'il voulait contempler ce qui l'a mené ici. C'est une femme, bien sûr, avec qui il a violé le code de déontologie. La femme de son meilleur client, en plus. S'il passait devant le conseil de l'ordre des avocats, il s'en sortirait avec une réprimande du bâtonnier et le sourire narquois de ses confrères. Mais devant un chef des Soul Ryderz, Bernstein sait qu'il ne lui reste qu'une seule chance pour ne pas finir avec une balle dans la tête : faire comme avec ses plus grands clients et plaider la folie.

Vingt fois il a repassé sa plaidoirie, depuis que Cash l'a convoqué. « Frédérique raconte n'importe quoi. Tu sais bien qu'elle est droguée. Il ne s'est jamais rien passé entre nous... » Cash, un instinctif, n'écoutera pas ses arguments, mais son émotivité jouera peut-être en sa faveur.

L'avocat salue les gardiens qui lui ouvrent le portail. Dans les minutes qui vont suivre, sa vie entière va se jouer. L'odeur de la prison le prend à la gorge, comme à chaque visite. On ne s'habitue jamais aux émanations de la souffrance qui collent aux murs d'un pénitencier. Dans le couloir immaculé qui mène aux parloirs, Bernstein tente de maîtriser son angoisse. Il plaide pour lui-même, cette fois. Si Cash voulait le tuer, pourquoi lui aurait-il demandé de venir le voir au pénitencier ? Ça ne peut pas être ça. Il y a une autre raison, un doute peut-être.

— Votre client vous attend déjà.

Le gardien ouvre la porte du parloir. Cash relève la tête.

Ses yeux sont gonflés de rage. L'assurance feinte de Bernstein en prend un coup.

— Finalement... Te v'là, tabarnak. Ça fait des heures que j'attends de voir ta crisse de face de crosseur, estie de tas de marde !

L'avocat s'assied en face de son client et le regarde droit dans les yeux. Mentir fait partie de son métier, et il le fait en toute sincérité.

— Cash, il ne faut pas...

François ne laisse pas finir Bernstein.

— T'es rien qu'une salope de gros porc de crisse, compte-toi chanceux que j'sois icitte, tabarnak !

— Cash, tu sais bien qu'elle est folle…

— Niaise-moé pas, tabarnak. J'vas t'étrangler.

Bernstein se lève, comme s'il était scandalisé.

— *Nothing happened*, Cash. Je le jure sur la tête de ma mère. Elle a tout inventé pour…

— Kossé tu veux dire, estie ?

Voilà le moment qu'attendait Bernstein, cette minuscule brèche de l'autre, cette brèche sur laquelle il a bâti toute sa carrière. Il tente :

— Écoute, Cash. Tu la connais et tu me connais… Depuis qu'elle t'a laissé, elle boit trop, elle prend trop de *dope*, elle fête trop… Elle ne s'occupe pas de sa fille… Bref, elle fait n'importe quoi. Et elle raconte n'importe quoi.

Il se rapproche de Cash pour continuer.

— Moi, je suis là, je m'occupe de tes affaires, je viens te voir en prison… J'ai toujours été à tes côtés, tu le sais très bien.

En se rasseyant, il le regarde de nouveau droit dans les yeux avec un air presque découragé. Il laisse quelques secondes à son client, comme il le fait avec les jurys, pour qu'il visualise ce qu'il vient d'exposer. Cash n'a pas bougé depuis près d'une minute. Bernstein donnerait presque toute sa fortune pour savoir ce que pense son client. A-t-il basculé ? L'avocat a respecté point par point sa stratégie. D'abord en détruisant la crédibilité de Frédérique, puis en renforçant la sienne. Il ne reste maintenant qu'à faire appel au raisonnement de Cash pour qu'il conclue lui-même.

— Alors, pourquoi crois-tu celle qui m'accuse au lieu de croire celui qui te défend ? Tu me vois baiser la femme de mon plus gros client, *and the most powerful on top of it* ? Tu sais bien que je ne vois que des putes...

— Justement..., intervient Cash.

— Cash, elle est peut-être folle, mais ce n'est pas une pute. Elle t'aime encore, tu sais.

La tête dans les mains, Cash pousse un long soupir avant de poursuivre :

— Pourquoi tu dis ça, qu'elle m'aime encore ?

Bernstein a déposé un épais dossier devant son client, comme s'il était venu pour parler affaires et qu'il fallait maintenant passer aux choses vraiment sérieuses. Il l'ouvre au hasard.

Il va gagner, pense-t-il, derrière son dossier. Au moins quelques semaines. Son plan était juste : commencer par le raisonnement pour confronter Cash à sa propre pensée. Puis lui donner l'assaut final en attaquant son point le plus faible. Il y a toujours chez un être humain un point de fragilité psychologique sur lequel il suffit d'appuyer pour déclencher des réactions irrationnelles.

— Elle me l'a dit...

Larry doit maintenant faire diversion et attirer l'attention de son client vers un autre sujet.

— Cash, tu as entendu pour le Dahlia. Il faut réagir...

D'abord, Cash ne répond pas. Il ressemble soudain à un taureau avant la charge.

— J'te cré pas, câlisse. J'te cré pas pantoute, continue-t-il en montant le ton pendant qu'il scrute les papiers de Larry. C'est quoi ça, tabarnak, ton estie d'niaisage ?

Larry regarde le dossier désigné par Cash, qui vient de se lever d'un bond. D'abord, il ne voit rien puis, en une seconde, il comprend que tout vient de s'écrouler. Coincée dans l'élastique noir, une mèche de cheveux blonds vient de signer son arrêt de mort.

— T'es rien qu'un tabarnak d'estie d'crisse de porc. J'vas t'tuer, moé, tu comprends-tu ?

Un gardien ouvre la porte du parloir et aperçoit Larry, soulevé d'une main par le colosse.

— Tu vas manger la pire volée de ton existence, pis tu vas la cracher, ta crisse de vie, ce s'ra pas long.

Le gardien se précipite sur Cash en appelant du renfort.

Larry, terrorisé, rassemble ses affaires pour se précipiter dehors, sans oser regarder celui qui a été son plus important client.

Il se retourne rapidement vers Cash, dont les bras sont maintenus dans le dos par les gardiens. Tandis qu'il sort précipitamment, dans la panique la plus extrême, il l'entend crier :

—Y arrivent avec trois cents millions, pis moé, j'ai pus d'femme, estie !

«Vous pouvez tromper tout le monde un certain temps ; vous pouvez même tromper quelques personnes tout le temps ; mais vous ne pouvez tromper tout le monde tout le temps.» Bernstein avait souvent répété cette phrase de Lincoln devant les tribunaux, tantôt pour faire acquitter certains clients, tantôt pour en faire condamner d'autres. Bien souvent, son habileté, tout au long de sa carrière, avait semblé réfuter cette maxime.

L'avocat court plutôt qu'il ne marche vers la porte de sortie. Bernstein monte dans sa voiture en écoutant les messages laissés par sa secrétaire. La GRC veut le voir. Le *Journal de Montréal* le demande. Une émission de la chaîne TVA voudrait le recevoir.

Il se dirige vers l'hôpital en tentant sans succès de parler à sa maîtresse sur son cellulaire.

Il n'en peut plus.

N'ayant jamais ressenti d'amour viscéral pour une femme, il avait estimé, dans ses calculs les plus pessimistes, que si Cash apprenait sa trahison, il subirait certainement une correction violente. Mais jamais, selon lui, le motard ne se serait permis de mettre sa vie en jeu, car il avait trop besoin de ses services et de sa connaissance approfondie des dossiers. Pour un avocat criminaliste, l'intelligence, à un trop haut niveau, est un dangereux outil, car elle permet d'élaborer des combinaisons périlleuses, au-delà même de la compréhension des clients, qui finissent par transformer peu à peu l'avocat en complice puis en associé. Larry était passé encore plus loin : en couchant avec Frédérique, il s'était approprié la part du lion.

À l'entrée de l'autoroute, il réalise qu'un des pneus du véhicule est crevé.

— *Fuck, I don't need this shit right now!*

Il se range sur le bas-côté afin de remédier à la situation. Au même moment, deux motocyclistes cagoulés et vêtus de noir se postent à ses côtés, brandissent leurs armes et ouvrent le feu. Une quinzaine de projectiles l'atteignent et Larry Bernstein s'écroule sur la chaussée, le corps criblé de balles, mort.

Cash paie toujours *cash*. Il aurait dû s'en souvenir.

— On a faite la job, boss.

Quelques heures plus tard, le corps, une fois identifié, est transporté à la morgue de Montréal.

CHAPITRE 28

Les deux femmes, encore abasourdies, marchent dans le couloir d'hôpital, vers la sortie. Frédérique s'est assoupie après avoir mangé. Antonia, le regard fixe, ne laisse transparaître aucune émotion. Marjorie, qui vient de rallumer son téléphone, s'immobilise soudain sur place.

— Qu'est-ce qu'il...

Elle lève la main pour interrompre la question de l'Italienne. Sa boîte vocale est pleine de nouvelles effroyables. Elle s'appuie contre le mur. Peu à peu, Antonia voit la jeune femme encaisser la nouvelle de l'attaque contre le gang, puis celle de la disparition de sa fille et de l'assassinat d'un garde du corps. Une préposée haïtienne, qui passe auprès d'elles, s'arrête pour leur proposer son aide, croyant à l'annonce ordinaire d'un décès dans la famille.

Antonia, sans un mot, pose la main sur le bras de Marjorie. Celle-ci observe d'abord son téléphone en silence, comme si elle le jugeait. La femme d'Angelo Syracusa ne demande aucune explication. Deux gardes du corps qui l'attendaient au fond du couloir s'approchent.

Ils sont là, quatre autour de Marjorie, dans le couloir immense qui débouche sur la baie vitrée inondée de lumière, attendant un mot, une explication, une larme pour entreprendre un geste de consolation convenable. Mais Marjorie se tait, le cellulaire à la main, figée. Puis, très lentement, elle lève les yeux vers la préposée. Celle-ci, pour la première fois, découvre son visage. Elle fait face maintenant à ses yeux. Ce n'est pas une femme qu'elle aperçoit alors. Le regard de Marjorie, en une seconde, contient toute l'histoire du peuple haïtien. Des milliers de femmes dont on a pris les enfants pour en faire des esclaves hurlent en elle comme si elles voulaient sortir de son corps ; des souvenirs ancestraux, que cette douleur réveille, prennent possession de sa conscience, tendent ses muscles. Tout un peuple secret, celui que toutes les femmes haïtiennes portent en elles, qu'on lui donne le nom d'inconscient, d'esprit ou de pulsion primaire, se mobilise soudain, aux ordres de cette tragédie. La préposée entoure Marjorie de ses bras. Marjorie, sous le choc, ne sent plus rien. Elle tourne la tête vers Antonia, cherchant en elle la force de mettre des mots sur l'horreur.

— Ils ont pris Gucci... Ils ont pris ma fille. Je vais tous les éliminer.

La douleur de la perte se ravive chez Antonia. Pour la première fois en quarante ans, elle ne sent plus que les femmes sont à l'abri. Elles sont la cible.

CHAPITRE 29

— *Cállate, mocosa*[49]*!*

Dans le coffre de la voiture qui s'éloigne de Montréal, Gucci tape des pieds et tente de défaire ses liens. Elle entend les hommes rire et crier dans une langue étrangère à laquelle elle ne comprend rien. Soudain, le véhicule cahote, puis s'immobilise. Des aboiements de chiens entourent la voiture. Gucci prend peur et arrête de bouger. Une voix de femme s'approche. Elle va peut-être la sauver. En effet, le groupe se fait plus calme. Gucci respire très fort dans sa petite jupe d'écolière. Quelqu'un ouvre une portière. Puis le coffre. Et la femme à la voix réconfortante apparaît.

Elle éclate de rire en voyant l'enfant à demi consciente, les pieds et les mains attachés comme un poulet.

49 « Ferme ta gueule, sale gamine ! »

— Amenez-la à l'intérieur et foutez-la au sous-sol dans la chambre froide ! ordonne Christiana.

Un des hommes empoigne l'enfant sans douceur, puis la transporte sur son épaule. Il l'amène au sous-sol, dans une chambre froide, et la jette sur un petit matelas. Gucci tombe sur le sol, avec un goût de larmes dans la bouche. Elle aperçoit d'abord le plafond humide, puis le dos de l'homme qui sort de la pièce. Il semble immense.

— Mamy !

Ce n'est plus un cri ni un appel, mais le chuchotement de détresse presque timide d'une enfant au bord de la mort, dans un monde auquel elle ne comprend rien. À un moment, elle se dit que c'est un cauchemar et s'apprête à courir vers sa mère pour pleurer dans ses bras. Mais la douleur lui rappelle la réalité de son sort. Elle se recroqueville sur le matelas sale et urine de peur. Elle a froid maintenant. La petite, enfermée en elle-même et comme seule au monde, commence la prière en créole que ses grands-parents lui ont apprise :

— *Papa bon dié ki nan ciel la,*

Que nou capab konnin nom' ou,

Ke règne ou vini,

Ke volonté-ou akonpli sou tè'a é nan ciel la[50].

En haut, une vive discussion éclate. Papito voudrait faire une demande de rançon. Christiana s'y oppose.

50 Notre Père, en créole.

— La *Madrina* ne l'a pas kidnappée pour avoir du fric, mais pour faire souffrir ses parents. Elle est une témoin gênante de toute façon, il faut s'en débarrasser sur-le-champ !

— C'est très dangereux, commente Papito.

Il appelle au Salvador et tente de plaider pour l'enfant. La réaction de la *Madrina* est immédiate.

— *Cállate, daras su opinión cuando te preguntaré*[51] *!* En attendant, il n'y a qu'un chef, et c'est moi ! Si tu veux, tu peux aller la rejoindre, tu pourrais t'amuser un peu…

Papito n'ose rien rétorquer, une réponse négative pouvant entraîner pour lui de lourdes conséquences…

— Je n'ai pas l'intention de la garder en vie très longtemps. Faites ça vite, ensuite nous ferons parvenir les restes du cadavre à sa salope de mère ! Cette putain de négresse se croit invincible.

Christiana s'approche pour chuchoter quelque chose au creux de l'oreille de Javier.

— Javier, tu dois t'occuper de la petite…

— Ensuite, je peux la tuer ?

Papito n'intervient pas. Son visage et son regard semblent soudain traversés par des visions d'horreur.

---

51 « Ferme ta gueule, tu donneras ton avis lorsque je te le demanderai ! »

Javier Perez a compris. Récemment sorti d'une longue peine de prison au Salvador pour agressions sexuelles sur des enfants, il jouit au Canada du statut de réfugié politique. Il jouit d'autre chose aussi. Le viol, dans la MS-13 et chez les *maras* en général, le plus souvent accompagné de pratiques sataniques, est une sorte de tradition.

— *Excelente !* répond Javier.

Vingt heures après l'enlèvement de Gucci, personne n'a d'information. La police a examiné scrupuleusement le périmètre où la petite a été enlevée, des centaines de témoins ont été entendus, et cela ne donne aucun résultat. La petite Bijou, effondrée de fatigue, dort maintenant sur les genoux de Marjorie, dévastée. Ses appels répétés au commissariat ne servent à rien, elle le sait, mais lui procurent chaque fois un espoir de quelques secondes.

— Il n'y a rien, madame Cadet. On vous rappelle dès qu'on apprend quelque chose, répète inlassablement la préposée au suivi des victimes, remplie de compassion.

Marjorie, qui n'a jamais fumé, grille cigarette sur cigarette. Autour d'elle, on croirait voir toute la communauté haïtienne : des femmes priant à genoux dans le salon, d'autres préparant du riz dans la cuisine... Quelques mètres plus loin dans l'appartement, Célestin, son père, veille son épouse revenue de l'hôpital. Il s'approche de sa fille.

— Je t'ai fait un peu de thé de peau d'ail...

C'est le thé au goût amer que préparent traditionnellement les Haïtiens pour guérir les chocs nerveux.

— J'ai faim..., s'écrie tout à coup Bijou, sortie du sommeil.

Les femmes s'emparent immédiatement de la petite et l'emmènent vers la cuisine. Marjorie se lève et regarde par la fenêtre. Marie-Rose s'approche d'elle.

— Nous allons la retrouver par la grâce de Dieu..., dit-elle en s'approchant de sa fille. Il faut prier et demander la lumière au Seigneur tout-puissant, il nous guidera vers elle, j'en suis convaincue. J'ai rêvé à elle cette nuit, je l'ai aperçue comme une brebis égarée, seule et apeurée, jusqu'à ce que la Vierge Marie vienne à son secours et la ramène ici.

— *Oh my God*, mamy, j'espère que tu as raison ! J'ai mal au ventre, je ressens des contractions depuis hier, je vomis sans arrêt, je suis morte d'inquiétude ! En plus, les policiers n'ont aucun indice, rien, *fuckin nothing*, bande de crétins ! On va trouver mon enfant, avec ou sans leur aide, je le jure ! Junior a appelé les *boys*, ils sauront faire quelque chose.

En effet, une vingtaine de membres des Zinglindos, à l'allure de gangsters américains, sont stationnés devant l'immeuble. Sur un geste de Marjorie, ils sortent rapidement de leurs voitures et se présentent à la porte de la maison de la famille Joseph.

— J'ai deux cent cinquante mille dollars *cash* pour celui qui réussira à trouver une piste, un indice, n'importe quoi afin de localiser mon bébé. Les policiers sont tous des *fuckin* incompétents, ils n'en ont rien à cirer de la disparition d'une petite négresse qui est, en plus, la fille d'un chef de gang de rue. Au contraire, ils s'en réjouissent, bande de trous d'cul ! Attendez deux secondes…

La sonnerie de son cellulaire, qui reproduit le refrain de *C'est bon pour le moral*, vient de retentir de façon complètement incongrue.

— C'est un numéro privé…

Instinctivement, les membres du gang s'approchent de Marjorie comme pour la protéger de l'appel. Celle-ci décroche. Une voix féminine lui parle. Marjorie pousse sur le bouton du haut-parleur.

— *Someone want to talk to you*, dit, dans un mauvais anglais, la voix que tous écoutent attentivement.

— Maman, j'ai peur, viens me chercher !

— Mon bébé adoré ! s'écrie immédiatement Marjorie. Ne t'en fais pas, tout va bien aller, maman va venir te chercher tout de suite !

Javier prend le combiné.

— *Voy a besarla*[52].

— *What ? What did you say ?*

La voix féminine lui répond :

— *He's going to violate your baby.*

La femme raccroche. Personne n'ose regarder Marjorie. Elle s'écroule.

Le garde du corps laissé par Antonia auprès de Marjorie s'est senti lui aussi faiblir. Il sort fumer une cigarette en pensant à sa propre fille. Un irrépressible désir de vengeance monte à sa gorge quand il appelle Antonia pour la tenir informée personnellement, comme elle l'a exigé. Les hurlements de Marjorie ont maintenant succédé à son hébétude.

— *Essi lo stupro la ragazza*[53].

— *Voglio parlare con lei immediatamente*[54].

L'homme remonte dans la maison et tend le BlackBerry vers l'oreille de Marjorie.

Javier se dirige vers le sous-sol de la résidence, sous le regard de Christiana. Gucci, toujours couchée, le regarde entrer sans bouger. L'homme sent son pénis durcir… Il ligote les mains de l'enfant, puis lui

52 « Je vais la baiser. »

53 « Ils vont violer la petite. »

54 « Je veux parler avec elle immédiatement. »

arrache son uniforme et ses sous-vêtements. La petite, complètement démunie, ne peut rien faire lorsqu'il la pénètre d'un coup, en lui tenant la gorge d'une main. Gucci, hurlant et étouffant à la fois, agite ses petites jambes dans le vide, ce qui renforce le plaisir de l'homme. Épuisé par son orgasme, il s'effondre de tout son poids sur elle, tenant les cheveux de l'enfant dans sa main.

— *Javier ! Bravo, estoy tan orgullosa de ti, eres un verdadero guerrero ! Ahora, me liberó de esta plaga*[55], commente la *Madrina* lorsque l'agresseur lui annonce au téléphone l'accomplissement de sa mission.

— *Es para mí darle las gracias, Madrina*[56].

— *Ahora, me liberó de esta plaga más rápido*[57] *!*

Quand il revient au sous-sol, il trouve Gucci dans la position où il l'a laissée, hébétée, n'offrant aucune résistance. Il la transporte à l'arrière de la résidence, vers un boisé discret. L'homme la dépose sur la neige et sort tranquillement son long couteau, comme s'il allait ôter la fourrure d'un gibier.

---

55 « Bravo Javier, je suis si fière de toi, tu es un vrai guerrier! Maintenant, je me libère de cette plaie. »

56 « C'est à moi de vous remercier, marraine. »

57 « Maintenant, débarrasse-moi de cette peste au plus vite. »

CHAPITRE 30

L'assassinat des hommes par les hommes appartient à l'histoire de la Cosa Nostra. Mais le viol des enfants a toujours révulsé les Siciliens. Pour Antonia, qui a toujours considéré les meurtres commis par son clan comme faisant partie d'un processus de sélection naturelle, le choc est immense. Elle vient de perdre un fils, mais il est mort presque dignement, dans sa fonction de guerrier, de chef de clan. Il est mort comme un militaire. Gucci, elle, est en train de subir quelque chose qui dépasse toutes les limites de l'entendement. Qui fait exploser toutes les références, tous les codes, toutes les familles. Et aucun homme n'a pu l'empêcher. Ils n'ont pu protéger cette innocente, malgré leurs armes, leurs organisations, leurs stratégies. Leurs promesses. Alors, puisqu'ils n'ont rien fait, puisqu'une enfant innocente va peut-être payer pour leur incurie,

Antonia décide de sortir de l'ombre. De rejoindre Marjorie pour lui procurer les ressources, l'argent, les hommes, les alliances secrètes, bref, toute sa connaissance intime du clan Syracusa, pour que les femmes, enfin, prennent entre leurs mains ce qui a échappé à celles des hommes.

Quand son garde du corps tend le téléphone à une Marjorie effondrée, presque incapable de réagir, ayant soudain perdu toute sa force de vie, Antonia ne cherche même pas ses mots. Elle sait ce que ressent Marjorie. Marjorie n'est plus Haïtienne ; elle n'est plus cette femme fière, tonitruante, provocante. Elle n'est même plus Noire. C'est une mère au corps perpétuellement relié à ses enfants, que les *maras* sont en train de violer.

Marjorie écoute et ne parle pas. L'homme qui tient le téléphone tremble de rage. Les Haïtiens se sont tus. Cette fois, ils n'essaient pas d'écouter la conversation. Ils ne pourraient pas entendre un mot de plus.

Et alors Marjorie se lève. Elle arrache presque le BlackBerry des mains de l'homme et s'approche du miroir qui se trouve près de la porte. Elle ne parle toujours pas et regarde son corps. Sa mère fait mine de s'approcher d'elle. Elle lui fait signe de rester où elle est.

Il y a maintenant presque une minute que le téléphone a sonné. Marjorie ne dit toujours rien.

Antonia a déjà raccroché. Toutes ses forces, cette énergie qui vient des os d'une mère lorsqu'on touche à ses enfants, monte lentement de son ventre à sa tête. Une guerre totale, une entreprise d'extermination définitive des latinos, vient de commencer. Elle voit des têtes arrachées, des hommes coupés en morceaux, des membres virils enfoncés dans la bouche de cadavres. Elle est devenue la reine du sang.

— Je sais tout du bateau. Je sais qui est à la tête des *maras*. Nous allons tous les tuer un à un. Et récupérer trois cents millions de dollars. Pas un ne subsistera.

Antonia, après avoir prononcé ces paroles, a composé immédiatement le numéro de téléphone d'urgence qu'elle connaît par cœur. Un homme du quartier Saint-Léonard a répondu à la première sonnerie.

— J'ai besoin de la tête de Christiana dans un sac du Dollorama. Vous la porterez chez Marjorie Cadet.

CHAPITRE 31

Dans le port de Cap-Haïtien, sur la côte septentrionale de l'île, des conteneurs chargés de cinq mille tonnes de cocaïne attendent l'inspection de la CONALD avant d'être transportés à bord. La CONALD, la Commission nationale de lutte contre la drogue, dont la responsabilité échoit au premier ministre haïtien, a été créée en 2002 avec pour principal objectif la « réduction de l'offre ». Les textes législatifs lui donnent particulièrement comme objectif « le contrôle rigoureux des points d'entrée : les ports, les aéroports, les postes frontaliers ». La CONALD travaille en étroite collaboration avec l'OHD, l'Observatoire haïtien des drogues.

L'ensemble de ces organismes est largement subventionné par les cartels des narcotrafiquants ainsi que par la CIA qui, pour déstabiliser Cuba, s'est muée depuis longtemps en *dealer*. C'est sans doute pourquoi, dans le premier numéro du journal *Dyalog Dwog*, publié par l'organisme gouvernemental haïtien, on annonce fièrement la saisie de cinquante et un kilos de cocaïne durant le premier exercice annuel. Les experts estiment à plus de cinquante tonnes la quantité de drogue transitant par la Perle des Antilles...

Une Nissan Patrol appartenant à la maison de location de voitures Deluxe Rent-A-Car, et portant une plaque d'immatriculation officielle, stationne aux abords du cargo, pendant que le lieutenant Boursicot et ses hommes aident au chargement de la marchandise. Le cargo *Sargala*, immatriculé à Carthagène et battant pavillon colombien, est presque prêt pour le départ. Il ne reste plus qu'à monter les conteneurs abritant cent soixante Haïtiens, de tous âges, ayant payé chacun deux mille dollars pour fuir au Canada. Ils ont emporté des provisions de riz, d'eau et quelques fruits, mais sans plus, car il ne leur reste rien. Dans vingt-cinq jours, se disent-ils, ils seront au Canada, c'est la seule chose qui importe : fuir la Perle des Antilles.

Dans un des conteneurs soulevés par un monte-charge, quelques bébés, effrayés par l'obscurité soudaine, pleurent de peur.

Une mère chante une berceuse créole.

— *Ti zwazo koté ou pralé,*

Ma pralé kay Fiyèt-lalo,

Fiyèt-lalo kon manje ti-moun,

Si ou pralé, lap manje ou tou.

Tout est maintenant prêt. Sur le quai, les hommes de la CONALD et quelques Salvadoriens se frappent mutuellement le poing en signe de solidarité. Les valises contenant huit cent mille dollars ont été minutieusement vérifiées par deux policiers haïtiens armés de revolvers S&W M15. Ce soir, ils feront la fête. C'est la première fois qu'un *boat people* transporte trois cents millions de dollars. La sirène du cargo retentit.

— En route vers les Tabarnakos ! s'écrie, sur le pont, un jeune Haïtien récemment déporté en Haïti par le gouvernement fédéral canadien, après un séjour à l'établissement pénitentiaire de Rivière-des-Prairies.

Il fait partie de la vingtaine d'anciens membres de gangs chargés d'ouvrir les portes de Montréal à la Salvatrucha.

— Ça fait combien de piasses ?

— Ça doit faire trois cent vingt mille piasses, deux mille par passager… J'ai pas fini de compter.

Tout le monde a dû payer avant de monter dans le conteneur, bien sûr. Même les bébés encore au sein ont payé leur passage. Il n'y a pas de raison.

— Coudon, lance un homme en essayant d'imiter l'accent québécois, c'est-tu un bateau de croisière qu'on voit là ?

En effet, un bâtiment de la Royal Caribbean International, venue offrir ses plages privées à la population nord-américaine, s'approche de la côte haïtienne.

—Y paraît que certains Québécois paient les putes avec de l'argent du Canadian Tire, lance l'un des hommes en regardant le paquebot de croisière. Ils ont pas assez d'argent pour les payer en vrais dollars.

— Faut jamais que je rencontre un gars comme ça.

— Ah ouais ? Parce que toi, tu profites pas des femmes dans le conteneur ? continue celui qui compte les billets.

— De quoi tu parles, *man* ? Ça n'a rien à voir avec les touristes. Moi je les baise pas, je les fais juste payer parce qu'elles veulent entrer au Canada.

— Ça y est... Il y a trois cent vingt mille piasses, le compte est bon. Avec ce que les Salvadoriens nous paieront quand on aura fini la *business*, on est riche, *man*.

— On sera les rois d'Haïti, *man*.

Le bateau quitte Cap-Haïtien et prend la route de Montréal : le complot de Santa Ana est en marche.

FIN

Remerciements

Je remercie du fond du cœur Hubert Mansion pour sa précieuse collaboration.

Mes amis qui m'ont aidée, soutenue et conseillée durant la rédaction de cet ouvrage : maître Éric Coulombe, maître Jaqueline Ancies, Jeff, L.C., Greg, Junior Rémy et Stéphane Bellamy. Et à ceux et celles qui préfèrent rester dans l'ombre, je leur dis à tous et à toutes un gros merci !

Varda Etienne

Marquis imprimeur inc.

Québec, Canada
2011

Imprimé sur du papier Silva Enviro 100% postconsommation traité sans chlore, accrédité Éco-Logo et fait à partir de biogaz.